KB162104

세상에 하나뿐인 북 매칭

세상에 하나뿐인 북 매칭

의외로 어울리는 책들

윤소희

망설이는 당신에게

인연을 선물합니다

새로운 만남은 언제나 설렌다

"책 좀 골라 주세요."

한 명이라도 독서가가 늘어나기를 바라는 마음에 얼른 되묻는다.

"어떤 종류의 책을 좋아하세요? 혹시 싫어하는 장르가 있어요?"

"아무 거나 추천해 주세요."

잠시 긴장한다.

"그동안 읽었던 책 중 마음에 들었던 책이 없을까요? 한 권이라도 좋으니 얘기해 주세요."

"그냥 알아서 추천해 주세요."

이쯤 되면 다리에서 힘이 풀린다. 겨우 책 한 권 추천하는 일로 웬 호들갑인가 싶겠지만, 책과의 인연을 중시

하는 나로서는 이럴 때 다짜고짜 결혼 상대를 골라달라고 부탁받은 것처럼 난감하다.

사람 사이에도 인연이 있듯, 책도 인연이 없으면 읽을 수 없다. 해마다 출간되는 수만 권의 책 중 어떤 책이 내 손에 들어오고 또 마침내 읽히게 되는지 그 과정을 지켜보는 일은 설렌다. 많은 이들이 극찬을 했어도 끝까지 읽기 어려운 책도 있고, 수많은 책들 가운데 어떻게 이런 책을 찾아냈는지 혀를 내두르게 되는 책도 있다. 그런가 하면 사놓고 몇 년을 묵히다 어느 날 문득 단숨에 읽게 되는 책도 있다. 숨바꼭질하듯 몸을 숨기다 맞춤한 때에 '짠!' 하고 나타나는 책도 있다. 사람들 사이의 만남이 가지가지이듯 책들과의 인연도 가지각색이다. 어쩌면 책이 줄 수 있는 가장 큰 선물은 교훈이나 감동이 아니라, 책과의 만남 자체일지 모른다.

길거리에서 우연히 마주쳐 사랑에 빠지는 경우도 있지만, 누군가의 소개로 연인을 만나기도 한다. 책과의 만남도 때로는 누군가의 소개가 필요하다. 나 역시 남의 서재를 늘 기웃거린다. 책에 관해 쓴 책이나 글들을 틈틈이 엿본다. 물론 누군가 소개하거나 추천하는 책이라고 덥

석 사보는 건 아니다. 책이 내게 손짓하거나 말 걸어 주기를 기다린다. 수많은 책 중에 '필'이 오는 책은 꼭 있게 마련이니까. 그래서 추천이라는 말보다 소개라는 말을 더 좋아하는지 모르겠다. 책과의 인연을 믿기에 꼭 읽어 보라고 강요하기보다는 이런 책도 있다고 소개하는 선에서 머물고 싶은 것이다.

이 책은 2021년부터 2022년까지 인스타에서 책 소개 라방을 진행했던 원고를 모아 만들었다. 매일 책을 읽으니 소개할 책은 넘쳤지만, 책 소개를 할 때 두 가지 원칙을 지키려고 애썼다. 첫째는 당시 최근에 읽은 책일 것. 둘째는 최소한 두 권 이상의 책을 하나의 콘셉트로 연결할 것. 두 번째 원칙 덕분에 책 읽기가 더욱 재미있어졌고, 나는 책들의 매치 메이커가 되었다.

창의적인 아이디어가 만들어지는 순간 평소 신경 신호를 주고받지 않던, 굉장히 멀리 떨어져 있는 뇌의 영역들이 서로 신호를 주고받는 현상이 벌어지더라는 겁니다.

(정재승 〈열두 발자국〉 중)

어울리지 않을 것 같은 전혀 다른 책들 사이에서 연결

점을 찾아내는 일, 다양한 책들이 조화롭게 어우러지는 포인트를 발견하는 일에서 희열을 느꼈다. 예기치 못한 부분이 서로 이어질 때 창의적인 생각이 떠오르고 내 세계가 그만큼 확장되었다. 낯선 책들이 만날 때, 평소 데면데면하던 뇌 영역들이 서로 신호를 주고받으며 반짝이기 시작한 것이다. 작곡가가 다양한 악기의 음색을 고려해 새로운 음악을 작곡하듯, 조향사가 다양한 향료의 특성과 조화를 고려해 새로운 향수를 만들어내듯 책들에게 맞춤한 짝을 지어 주었다. 북 매칭은 글쓰기와는 또 다른 창조의 기쁨을 준다.

의외로 잘 어울리는 책들의 이야기를 읽고 나면, 서점 장바구니를 채우고 싶은 충동을 느낄 것이다. 두근두근, 새로운 만남은 언제나 설렌다.

2023년 여름, 상하이에서

차례

프롤로그: 새로운 만남은 언제나 설렌다 … 6

납작해지지 않으려면 … 15
샤니 보얀주 〈영원의 사람들은 두려워하지 않는다〉
콜슨 화이트헤드 〈니클의 소년들〉
이은혜 〈읽는 직업〉

시를 필사하는 밤 … 27
김이설 〈우리의 정류장과 필사의 밤〉
유계영 〈이런 얘기는 좀 어지러운가〉
박소란 〈심장에 가까운 말〉
이제니 〈그리하여 흘려 쓴 것들〉

차 한 잔 할래요? … 38
김지현 〈생강빵과 진저브레드〉
기타노 사쿠코 〈책장 속 티타임〉
이유진 〈오후 4시, 홍차에 빠지다〉

누구에게 돌을 던져야 하나? … 48
오쿠다 히데오 〈침묵의 거리에서 1,2〉
서현숙 〈소년을 읽다〉

시인 부부의 부부싸움은 시적일까? … 58
장석주 〈가만히 혼자 웃고 싶은 오후〉
박연준 〈인생은 이상하게 흐른다〉
박연준 〈밤은 길고, 괴롭습니다〉

여백을 남기고 또 채우는 ⋯ 68
윤소희 〈여백을 채우는 사랑〉
줄리언 반스 〈사랑은 그렇게 끝나지 않는다〉

나무도 느끼고 생각한다고? ⋯ 76
리처드 파워스 〈오버스토리〉
페터 볼레벤 〈나무 수업〉

기자 출신 소설가와 소설 쓰는 기자 ⋯ 88
장강명 〈책 한 번 써봅시다〉
송경화 〈고도일보 송가을인데요〉

모든 건 먹는 것에서 시작한다 ⋯ 99
톰 닐론 〈음식과 전쟁〉
프란체스카 리고리 〈부엌의 철학〉

다이어트, 우선 속지 말아야! ⋯ 110
이한승 〈솔직한 식품〉
키마 카길 〈과식의 심리학〉

당신의 방을 보여 주세요 ⋯ 121
미셸 페로 〈방의 역사〉
타니아 슐리 〈글쓰는 여자의 공간〉

여자에게 어울리지 않는 일? … 131
앨리스 매티슨 – 〈연과 실〉
P. D. 제임스 – 〈여자에게 어울리지 않는 직업〉
애거사 크리스티 – 〈딸은 딸이다〉

'사람'을 보아 주세요 … 144
자밀 자키 – 〈공감은 지능이다〉
김하영 – 〈뭐든 다 배달합니다〉
이종철 – 〈까대기〉

여행, 특별할 것 없어도 특별한 … 157
조영권 – 〈경양식집에서〉
가쿠라 미츠요 – 〈언제나 여행 중〉

사랑, 다시 써도 사랑! … 168
로맹 가리 – 〈노르망디의 연〉
폴 세르주 카콩 – 〈로맹 가리와 진 세버그의 숨 가쁜 사랑〉
에밀 아자르 – 〈자기 앞의 생〉

한 달 여행에 어울리는 책들 … 180
토니 모리슨 – 〈재즈〉
이문재 – 〈혼자의 넓이〉
김승희 – 〈단무지와 베이컨의 진실한 사람〉

오늘 죽을까, 내일 죽을까? … 191
〈쓰는 사람, 이은정〉 – 이은정
〈자살에 대하여〉 – 사이먼 크리츨리

사랑의 적당한 길이와 무게는? … 202
정대건 〈아이 틴더 유〉
박형서 〈당신의 노후〉

읽고 쓰는 일의 통(痛)과 쾌(快) … 211
문유석 〈쾌락 독서〉
이만교 〈글쓰기 공작소〉

삶이 레몬을 건네면 … 222
매릴린 체이스 〈루스 아사와,
무엇이든 그녀의 손길이 닿으면〉
조이한 〈그림, 눈물을 닦다〉

에필로그: 인연 덕분에 살았다 … 234

납작해지지 않으려면

〈영원의 사람들은 두려워하지 않는다〉 - 샤니 보얀주
〈니클의 소년들〉 - 콜슨 화이트헤드
〈읽는 직업〉 - 이은혜

몸이 힘들거나 마음이 우울할 때는 방 안에 틀어박혀 소설에 푹 파묻히곤 한다. 책장에 꽂힌 책 중 소설 비중이 높은 걸 보면 살면서 힘들거나 우울할 때가 많았던 모양이다.

한동안 몸과 마음이 힘들었다. 회복을 위해 소설만 골라 읽었는데, 하필 고른 소설 모두 가벼운 내용이 아니었다. 마음이 오히려 무거워질 수 있는 이야기들이었다.

가끔 이런 질문을 받는다. 지금 읽고 있는 책이 도무지 잘 읽히지 않는데 어떻게 해야 하느냐고. 그런 책은 얼른 덮으라고 말해준다. 지금 내 책장에도 읽다가 덮은 책이 못해도 100권은 넘을 것이다. 전혀 죄책감이나 미안함 같은 건 갖지 않는다. 책과의 인연도 사람과의 인연과 닮아서 때와 장소 등이 딱 맞춤해야 읽힌다고 믿기 때문이다.

남편을 서른 넘어 직장에서 만났는데, 사실 우리는 알고 보니 대학 선후배였다. 물론 대학에 다닐 때는 서로를 전혀 몰랐다. 만약 그때 만났다면 우리는 과연 결혼할 수 있었을까? 모르긴 해도 일찍 만났다면 우리는 서로를 제대로 알아보지 못했을 테고, 잠시 사귀었다고 해도 결혼에 이르지는 못했을 것이다. 만남에는 다 때가 있는 법이다.

실제로 안 읽혀서 덮어 두었던 책을 몇 달 또는 몇 년 뒤 다시 손에 잡았을 때, 그 책이 술술 읽히는 걸 숱하게 경험했다. 샤니 보얀주의 〈영원의 사람들은 두려워하지 않는다〉 역시 몇 년 동안 책장에 꽂혀 있다 다시 발견한 날 단숨에 읽어 버린 책이다.

샤니 보얀주는 이스라엘 출신으로 87년 생 작가다. 〈영원의 사람들은 두려워하지 않는다〉는 히브리어가 모국어인 작가가 외국어인 영어로 쓴 소설이다. 샤니 보얀주는 대학에 가기 위해 미국으로 건너가기 전 이스라엘에서 군 생활을 했던 경험을 바탕으로 이 소설을 썼다.

이스라엘 여성들이 군대에 간다는 건 잘 알려진 사실이지만, 실제로 군대에 다녀온 이스라엘 여성의 목소리를 들어본 적은 없었다. 이 소설을 통해 만 열여덟 살이 되면 2년간 징집되는 이스라엘 소녀들의 이야기를 생생하게 들어볼 수 있었다.

소설은 야엘, 아비샥, 레아라는 세 소녀가 군대에서 겪은 이야기를 각자의 목소리로 들려준다. 야엘, 아비샥, 레아라는 이름은 성경을 읽어 본 사람에게는 낯익은 이름이다. 성경에서 야엘은 사사기에 등장하는 여인으로 군대장관 시스라를 죽인 여자 영웅이다. 아비샥은 다윗의 노년에 곁을 지켰던 아름다운 수넴 여자 이름이고, 레아는 야곱의 첫째 아내다.

낯익은 세 이름의 소녀가 들려주는 이야기는 몹시 낯설었다. 군대에서 야엘은 무기 훈련 조교로, 아비샥은 이집트 접경지대 감시탑 감시병으로, 레아는 검문소에서 검문병으로 복무한다. 소설 시작에서 보여주듯 야엘과 아비샥, 레아는 고작 열여덟 살, 어린 소녀일 뿐이다. 친구의 오빠를 좋아하면서도 고백을 못하고 일기장에 끼적이던 수줍은 소녀들이 뿔뿔이 흩어져 군대에 들어간다.

그리고 군생활의 부조리함과 황폐함을 겪으며, 상처 입는 모습이 소설에 생생하게 묘사된다. 우크라이나, 러시아, 팔레스타인, 이집트, 레바논, 리비아, 이라크와 수단 등 여러 이해관계가 얽히고설킨 이스라엘의 복잡한 현실을 고려하면, 이스라엘 군 생활은 분명 우리나라 군대의 모습과는 다를 수밖에 없다.

이스라엘 군대는 여성들까지 징집대상으로 규정하다 보니 징집률이 세계 1위다. 군대 규모 자체는 크지 않지만, 인구수 대비 상비군 수로는 북한, 에리트레아 뒤를 이어 세계 3위. 1~4차 중동전쟁으로 실전 경험은 미군과 맞먹을 정도로 높다.

이스라엘처럼 여자도 군대에 가야 해, 라는 말을 종종 듣는다. 징집률이 세계 2위인 나라이니, 징집 대상인 남성들의 불만이 나올 수 있다. 실제로 열여덟 살 소녀들이 군대에서 겪는 일을 들여다보니, 전쟁 상황에 맞먹는 폭력이 난무하고 있었다. 물론 군대가 아니더라도 모든 소년 소녀들은 아픔을 겪으며 성장한다. 하지만 〈영원의 사람들은 두려워하지 않는다〉의 소녀들은 거의 매일 전쟁 같은 상황에 노출되며 심각한 트라우마에 시달린다.

소설에 언급되지는 않았지만, 실제 이스라엘 군대에서 여군 대상 성범죄가 심각하다고 한다. 거의 대부분의 여군이 성희롱과 성추행을 경험했고, 약 40% 정도는 강간이나 윤간 등 심각한 성범죄를 경험했다고 조사에 응답했다. 그래서인지 이스라엘 여성의 대략 3분의 1 정도는 결혼이나 종교 등의 이유로 징집을 피한다. 징집을 회피하려고 여러 수단을 강구하는 건 소녀들이 아니라 이미 징집 경험을 통해 여군이 군대에서 겪게 될 일을 누구보다 잘 아는 소녀의 부모들이다.

이렇게 피하려고 애를 써도 여전히 3분의 2의 여성들은 징집되어 군 생활을 하고 일부 분야에서는 뛰어난 실적을 보이기도 한다. 전투기 시뮬레이션이나 무인기 조종 등 고도의 집중력을 요하는 분야에서 여군의 활약이 뛰어나다. 이슬람 극단주의 단체는 여성의 손에 죽으면 천국에 못 간다고 믿기에 실제 전투에 여군을 투입하는 것이 효과를 보기도 한다. 그럼에도 소녀 개개인이 떠안게 될 트라우마와 상처는 결코 무시할 수 없는 수준이다.

〈영원의 사람들은 두려워하지 않는다〉에는 문법을 무시하거나 다듬어지지 않은 표현이 많다. 모국어가 히브리어인 작가가 외국어인 영어로 쓴 글이기 때문일 것이다. 처음에 잘 읽히지 않았던 것도 그 때문이었는지 모르겠다. 세 소녀의 시점을 번갈아 가며 쓰고 있는데, 문체가 세 사람의 개성을 충분히 드러내지 못해 가끔 세 사람의 이야기가 섞이기도 한다. 그럼에도 이스라엘과 그 접경 지대에서 벌어지는 일들, 그리고 군대에 가야 하는 소녀들의 이야기를 생생하게 들을 수 있어 끝까지 흥미를 갖고 읽을 수 있었다.

가장 가슴 뭉클했던 장면은 소설 앞부분에 있었다.

RPG[1] 발사 장치는 아주아주 무거운 무기여서 한 아이만으로는 들 수 없고 두 명의 아이가 있어야만 한다. 두 아이가 함께 무기를 들 때, 한 아이는 앞에서, 한 아이는 뒤에서 잡는다. RPG를 쏘면 앞부분에서 이스라엘의 탱크를 뚫을 수 있을 만큼 아주 강력한 미사일이 발사된다. 뒤로는 불이 뿜어져 나오는데, 큰 불도 아니고 반드시 불이 나오는 것도 아니다. 뒤로 불이 나오는 것은 이 무기가 작동하는 방식의 일부분에 불과하다. 그러므로 RPG포 아동 한 명이 발사 장치를 어깨 위에 올릴 때 그 뒤의 다른 RPG포 아동은 까치발을 하고 서서 그것을 잡는다. RPG가 발

---

1) RPG (Rocket Propelled Grenade) - 로켓 추진형 유탄

사되면 뒤쪽 헤드에서 뿜어져 나온 불길이 머리에서 어깨로, 곧이어 샌들까지 (그가 샌들을 신고 있다면) 옮겨 붙는다. 아무도 이 RGP포 아동들에게 자세한 설명을 해주지 않았다.

아무도 그들에게 말해 주지 않았다. (…) 그런데 대단히 흥미로운 사실은 대개의 경우 앞쪽에 있던 아이는 뒤에서 불타는 친구를 보면 뛰어들어 그를 껴안는다는 것이다. 이렇게 하여 사상자 수가 현저히 증가했다.

어른들은 겨우 아홉 살이나 열 살쯤 된 어린아이들을 쓰고 버릴 총탄처럼 이용하는데, 그 아이들은 불에 타며 고통받는 친구를 두고 달아나기는커녕 꼭 안아주기 위해 불속으로 뛰어든다.

힘들고 우울할 때 가볍고 재미있는 이야기가 위로가 될 거라 생각할 수 있지만, 오히려 이런 낯설고 무거운 이야기가 나를 일으켜주었다. 어둡고 무거운 이야기 속에서 발견하는 이런 빛 같은 순간들이 주저앉아있던 내게 손을 내밀어 주는 것이다.

콜슨 화이트헤드는 퓰리처상을 2번 수상한 역대 4번째 작가이자, 아프리카계 미국인으로서는 처음인 작가다.

〈니클의 소년들〉의 주인공 엘우드는 똑똑한 흑인 소년이다. 마침 선생님의 추천으로 대학 수업을 받기 위해 길을 떠나던 중 히치하이크를 한다. 당시에는 흑인은 흑인이 운전하는 차만을 히치하이크할 수 있어 한참을 기다려야 했다. 겨우 얻어 탄 차가 하필 도난 차량이었기에, 히치하이크에 성공하자마자 엘우드는 차 도둑으로 몰려 대학교에는 가 보지도 못한 채 억울하게 감화원인 니클에 들어간다.

니클은 우리나라의 '형제복지원'과 비슷한 곳이라고 상상하면 된다. 부산의 형제복지원에서 7,80년대에 불법 감금은 물론 강제노역, 구타, 암매장 등 끔찍한 인권 유린이 자행되었다는 것은 이제 많이 알려졌다. 니클 안에서도 다양한 인권유린 사건들이 일어나는데, 흑백 차별까지 있어 흑인인 엘우드는 니클 안에서 더 심한 차별과 폭력을 경험한다. 지금도 미국에서 인종차별의 모습을 발견하는 건 어렵지 않지만, 당시는 짐 크로법이라는 흑백 차별을 정당화한 법까지 있어 차별의 모습이 훨씬 직접적이고 극악했다.

억울하게 니클에 들어갔지만, 살아서 빠져나올 수 있을지 그 가망성도 희박한 삶. 그런 삶 속에서도 엘우드는 자신의 존엄을 믿고 옳다고 여기는 일을 하기로 선택한다. 엘우드는 자신이 발견한 니클의 부정을 꼼꼼히 기록해 감사 나온 사람들과 기자들에게 그 목록을 전해준다. 하지만 목숨을 걸고 옳은 일을 했어도, 니클의 부정이 세상에 드러나기는커녕 오히려 엘우드가 폭로하려고 했다는 사실만 니클에 알려진다. 감사를 맡은 사람들이나 기자들 역시 한통속이었던 것이다. 죽도록 구타를 당할 것인지 목숨을 건 탈출을 할 것인지 기로에 섰을 때, 니클에서 만난 친구 터너의 도움으로 엘우드는 탈출을 시도한다.

엘우드의 할머니 해리엇의 아버지는 백인 여자에게 길을 비켜주지 않았다고 감옥에서 죽었고, 남편은 싸움을 말리다가 죽었다. 딸과 사위는 밤에 갑자기 떠났고, 손자는 누명을 쓰고 감화원에 갔다. 억울하게 감화원에 들어가서도 존엄을 지키고 품위 있게 선을 행하려고 애쓰던 엘우드도 결국 총에 맞아 어린 나이에 죽었다.

마침 〈니클의 소년들〉을 읽고 관심이 생겨 형제복지

원에 관해 찾아보니, 2021년 3월 11일 형제복지원 원장이 무죄 판결 받은 것이 잘못되었다고 검찰총장이 제기한 비상상고가 대법원에서 기각되었다. 수많은 무고한 사람들의 생명을 앗아간 인간이 무죄라고 다시 한번 확증해 준 셈이다. 한편으로는 화가 났고, 다른 한편으로는 세상이 원래 그렇지 뭐, 하며 무력감이 들었다. 삶은 원래 불공평한 거니까.

〈니클의 소년들〉은 그런 불공평하고 어두운 삶 속에서도 자신만의 빛을 찾아가는 모습을 보여준다. 우리를 감동시키는 건 갑자기 세상이 드라마틱하게 변하는 큰일이 아닐지 모른다. 모든 악한 자들이 벌 받고 선한 주인공들이 다 잘 되기를 바라는 우리의 바람과 다르게 현실은 흘러가지만, 그런 험악한 상황 속에서도 엘우드나 터너 같은 무력한 소년들이 마지막 순간까지 인간으로서의 존엄을 포기하지 않는다. 그런 모습에서 우리는 빛을 발견한다.

(스포일러가 될 수 있어 결말을 밝히지 않았으니, 꼭 읽어 보기를.)

"뭐 저런 인간이 다 있어?"

"도무지 이해가 안 가!"

우리는 종종 너무 쉽게 남을 비난하고 편견에 사로잡혀 판단한다. 하지만 실제 우리가 살고 있는 세상은 그렇게 납작한 곳이 아니다.

나와는 전혀 다른 환경에 있는 사람들의 삶을 간접적으로 체험하고, 그 사람의 입장을 공감하기 위해 소설 읽기보다 좋은 방법은 없다. 우리의 생각이나 감정, 그리고 삶이 납작하게 머물지 않고 좀 더 입체적이기 위해서는 더 많은 소설을 읽어야 한다. 소설을 읽을수록 나와 전혀 다른 누군가를 공감할 수 있는 마음의 여백이 생기니까.

마침 두 소설과 함께 읽었던 〈읽는 직업〉에서는 납작하다거나 입체적이다는 표현 대신 삶의 '밀도'와 '농도'라는 표현을 썼다. 저자인 이은혜 편집장이 책 속에서 소개한 대만 작가 탕누어가 이런 말을 했는데, 20대부터 매일 8시간씩 책을 읽은 다독가의 말이니 새겨들을 만하다.

"어떤 도시에 가서 살든, 그곳이 얼마나 크든 관계없이 석 달 안에 그 도시의 대부분의 것을 경험할 수 있다. 이후에는 그 석 달 치의 경험이 계속 반복된다. 그런 게 과연 인생일까? 그런 반복이? 오히려 책에서는 시공을 초월해 이런 반복을 피할 수 있다… 폭넓고 광대한 삶과 코앞의 일에

만 시선을 두는 삶은 얼마나 큰 차이가 나겠는가."

　가끔은 놀란다. 마치 책들이 서로 협의해서 어떤 시점
에 내 눈앞에 '짠' 하고 함께 나타나는 것처럼 느껴진다.
지난 며칠 그냥 닥치는 대로 소설을 읽고, 다른 장르의
책도 서너 권 읽었는데 어떤 지점에서 서로 자연스럽게
연결된 것이다. 그런 의미에서 책을 만나고 읽는 것도 다
인연이다.

시를 필사하는 밤

〈우리의 정류장과 필사의 밤〉 - 김이설
〈이런 얘기는 좀 어지러운가〉 - 유계영
〈심장에 가까운 말〉 - 박소란
〈그리하여 흘려 쓴 것들〉 - 이제니

어쩌다 보니 생일을 혼자 보냈다. 혼자라도 씩씩하게 잘 보내자는 생각에 머리를 올리브그린으로 염색하고, 좋아하는 두리안을 사다 실컷 먹었다.

중국에 살면서 좋은 점 중 하나는 다양한 종류의 과일을 저렴한 가격에 실컷 먹을 수 있다는 것이다. 두리안도 일반 과일 가게에서 필요하다면 껍질까지 친절하게 벗겨 판매하기에 쉽게 사 먹을 수 있다.

사실 두리안을 쉽게 구할 수 있으면서도 두리안을 처음 맛본 건 얼마 되지 않았다. 두리안은 천국의 맛과 지옥의 냄새를 동시에 가진 아열대 과일로, 동남아 국가에서는 호텔이나 택시에서 '두리안 금지'라는 팻말을 종종 발견할 수 있다. 두리안 냄새에 관한 각종 정보들 때문에

27

두려움이 커져, 도무지 맛볼 용기가 나지 않았다. 그런데 일단 맛을 보고 나니 세상에 이렇게 기막히게 맛 좋은 과일을 지금까지 모르고 있었다는 게 억울할 지경이었다.

두리안 사건만 보더라도 '할까 말까' 고민할 때는 바로 시도해 보는 쪽이 유리하다는 걸 알 수 있다. 정재승의 〈열두 발자국〉에 보면 스파게티 면으로 탑을 높이 쌓는 과제를 실행하는 실험이 나온다. 재미있는 건 소위 가방 끈 길다는 MBA 학생 그룹보다 유치원생 그룹이 쌓은 탑이 현저히 높았다는 것이다. 혁신은 계획에서 이뤄지지 않는다. 오히려 다양한 시도와 끊임없는 계획 수정으로 이뤄진다. 돌아보면 망설이고 의사결정을 미루다 실제로 '안'하는 경우가 생각보다 훨씬 많았다. 정재승 작가는 확신이 들 때까지 기다리지 말고 70% 정도 확신이 들면 실행하라고 권한다. 할까 말까 망설이고 있다면 그냥 해보자. 하고난 후 후회하더라도 결정을 미루고 망설이며 시간을 보내는 것보다는 훨씬 나을 테니까.

시를 필사하는 밤.

시를 그냥 읽는 것도 어려운데 필사라니…. 게다가 소

설과는 도대체 무슨 관련이 있는 걸까? 김이설의 소설 〈우리의 정류장과 필사의 밤〉에는 시를 필사하는 주인공이 등장한다. 유계영의 〈이런 얘기는 좀 어지러운가〉, 박소란의 〈심장에 가까운 말〉, 그리고 이제니의 〈그리하여 흘려 쓴 것들〉은 주인공이 필사하는 시집들이다.

〈영원의 사람들은 두려워하지 않는다〉나 〈니클의 소년들〉에 도무지 개인이 피할 수 없는 구조적인 폭력이나 부조리 아래 고통받는 사람들이 나온다면, 〈우리의 정류장과 필사의 밤〉은 아주 평범하지만 숨막히고 진저리나는 삶에 대해 이야기하고 있다.

주인공은 '목련 빌라'라는 아주 낡고 조그만 빌라에서 나이든 부모와 살고 있다. 마흔이 넘은 주인공은 변변한 직업도 없어 부모의 빌라에 얹혀살며, 결혼도 하지 않았다. 어느 날 문득 동생 집에 방문했다가 동생이 제부의 폭력에 시달리고 있다는 사실을 알게 된다. 앞뒤 생각해 보지 않고 동생과 조카들(6살과 4살)을 데리고 나온다. 동생이 하루 종일 여섯 식구를 먹여 살리기 위해 학원에서 일을 하니, 변변한 직장이 없는 주인공이 자연스럽게 집안일을 맡고 어린 조카 둘을 키우게 된다. 주인공은 시를 쓰고 싶다는 꿈이 있지만, 조카를 키우고 집안일에 치이다 보니 시를 쓸 시간을 확보하기 힘들다.

거칠게 요약하자면 주인공의 가족은 역할 분담을 효율적으로 하고 있고, 거기서 장녀가 혼자 빠져나가 시를 쓰고 싶다고 말하는 건 철없을뿐더러 몹시 이기적으로 보인다.

그러나 동생이 집으로 돌아온 이후부터, 그러니까 3년 전부터 나는 아무것도 쓰지 못하고 있었다. 쓸 것이 없어서가 아니었다. 쓸 것들은 오히려 많아졌다. 그러나 쓸 시간이 없었고, 머릿속을 정리할 공간이 없었고, 나에게 집중할 틈이 없었다. 이제는 조용히, 고즈넉하게, 쓸쓸히, 오롯이, 동떨어져서, 가만히, 차분하게 같은 단어들을 누릴 수 없었다.

많은 여성들이 당연하다는 듯 전담하고 있는 평범하지만 숨 막히고 진저리나는 집안일과 육아. 그 안에서 자신의 글을 쓰겠다는 건 사치로 보일지 모른다. 시를 쓰고 싶지만 쓰지 못하는 주인공이 시를 필사하는 건 늪에 빠진 것 같은 상황 속에서 자신의 언어를 지키려는 일종의 몸부림이다.

슬프네, 말하고 누워버리는 일들
아프네, 말하고 벌떡 일어나 앉는 일들
용수철이 묵묵히 받쳐온
밤의 엉치뼈가 튀어오른다
튀어오를 수 있는 데까지 튀어오른다

나에게 없는 어린 조카가
장난감 자동차를 굴리며 다가와
시체처럼 누운 몸 위로 지나간다
장난일 줄 몰랐다면
나 정말 죽을 뻔했잖니

(유계영의 시 '심야산책' 일부)

자기 아이도 아닌 어린 두 조카를 돌보느라 지쳐 쓰러져 잠시 바닥에 누워 있는 사이, 어린 조카가 장난감 자동차를 굴리며 다가와 시체처럼 누운 몸 위로 지나가는 일도 있었을 것이다. "나 정말 죽을 뻔했잖니" 하고 싶지만 삼켰던 말들을 주인공은 시를 필사하며 기억해 냈을 것이다.

재미있는 건 이 소설을 쓴 소설가 김이설도 소설이 써

지지 않을 때 시를 필사했다고 한다. 소설가가 왜 시를 필사할까, 잠시 의아했었다. 하지만 에세이를 쓰기 위해 시를 필사하며 1년을 보내 보고야 알았다. 시를 읽고 필사하는 건 잃어버린 언어를 찾는 일이고, 또 자신의 언어를 잃지 않으려는 발버둥이라는 사실을.

　매일 시집을 읽던 나날이 있었다. 내 안의 언어가 전부 소멸해 아무것도 쓸 수 없던 시절. 이대로 소설을 못 쓰게 되리라는 절망에 빠졌던 때였다. 그건 나를 잃는 일이기도 했다.
　나는 소설 속 인물처럼 무수한 필사의 밤을 보내고서야, 소설이 아니라 시를 만나고서야, 다시 소설을 쓸 수 있게 되었다. 처음 말을 배우는 어린애처럼, 처음 글자를 배우는 아이처럼 더듬더듬 한 마디씩, 한 글자씩 다시 써나갔다.

　《우리의 정류장과 필사의 밤》 작가의 말 중)

　가끔 독자들에게 이런 질문을 받는다. 에세이를 읽다 보면 시적인 표현이나 평소 잘 쓰지 않지만 아름다운 단어들을 발견하는데 어떻게 그런 단어를 찾아 쓰느냐고. 다양한 국어사전을 옆에 끼고 일부러 좋은 단어를 찾아

수집하기도 하지만, 솔직히 시를 필사하면서 가장 큰 도움을 받았다. 시에 쓰인 시어들은 시인들이 고민에 고민을 거듭해 사유를 응축해 놓은 밀도 높은 단어들이다. 그러니 어떤 문학작품보다 시를 읽을 때 좋은 단어를 수집하기 좋고, 나 자신의 언어를 만들어 가는데 도움이 된다. 내가 시인이 아니고 시를 쓸 게 아니라 해도, 하고 싶은 말을 주저리주저리 늘어놓지 않고 줄이고 줄여 핵심만 남기도록 하는 훈련은 필요하다. 보다 밀도 높은 글을 쓰기 원한다면 시를 필사하는 것이 도움이 된다.

물론 매일 시를 필사하던 시절, 나 역시 투덜거린 적이 있었다. 소설을 쓰고 싶어 글을 쓰기 시작했는데, 원하던 소설은 쓰지 못하고 남의 시나 베끼고 있는 나 자신이 한심하게 여겨지기도 했다. 그런 내게 김이설 소설가의 말은 몹시 위안이 되었다.

검정 비닐봉지 하나 담장 너머로 펄럭
날아갈 때 텅 빈 마음이
여기에 있지 않고 저기로
자꾸만 저기로 향하려 할 때

정처 없이 헤매는 마음아

이리 온,
한번쯤 나의 고양이가 되어주렴

(…)

아무렇지 않은 척 피를 닦고 일어나 다시
저기로 잠잠히 멀어져갈
나의 마음아
제발 이리 온

(박소란의 시 '나의 고양이가 되어주렴' 일부)

〈우리의 정류장과 필사의 밤〉 참고문헌에 나오는 시집 중 하나인 박소란 시인의 시집을 필사하기 위해 책상 독서대 위에 펼쳐 놓았는데, 마침 그즈음 인친의 라방에서 이 시를 소개받았다. 책 제목이 눈에 익어 책상으로 달려갔는데, 독서대에 딱 펼쳐져 있던 페이지에 이 시가 있었다. 시가 '나를 읽어 줘'하고 내게 손짓하며 애타게 나를 부르는 것 같았다.

돌보는 말과 돌아보는 말 사이에서
밀리는 마음과 밀어내는 마음 사이에서

사랑받은 적 없는 사람이 모르는 사이 하나하나 감정을
잃어버리듯이. 한밤의 고양이와 친해진 것은 어느 결에 사
람을 저버리게 되었기 때문이다. 그냥 사람이라는 말. 그
저 사랑이라는 말. 그러니 너는 마음 놓고 울어라. 그러니
너는 마음 놓고 네 자신으로 존재하여라. 두드리면 비춰
볼 수 있는 물처럼. 물은 단단한 얼굴을 가지고 있어서. 남
겨진 것 이후를 비추고 있었다.

(이제니의 시 '남겨진 것 이후에' 일부)

시를 필사하며 보낸 시간이 1년이 넘었지만, 시는 내
게 여전히 어렵다. 제대로 해독했는지 자신이 없을 때가
더 많다.

로알드 달의 소설 〈마틸다〉의 주인공, 마틸다는 다섯
살도 안 되어 디킨스 소설을 읽는 꼬마 독서가다. 마틸다
가 〈노인과 바다〉를 읽고 "이해할 수 없는 부분이 많지
만, 그래도 이 책이 마음에 들어요."라고 말하는 장면이
떠올랐다. 모든 문장을 이해하지 않더라도 감동받을 수
있다는 걸 어린 마틸다는 알고 있었던 것이다. 나이와 관
계없이 책을 좋아하고 책을 많이 읽는 사람이라면 누구
나 공감할 것이다.

이해가 되지 않을 때는 분석하고 해부해서 이해하려

고 애쓰기보다는, 그냥 통째로 받아들이는 편이다. 모든 걸 해독하거나 이해하지 않아도 괜찮다는 걸 아니까. 시를 읽다 보면 때로는 분위기가, 때로는 발음과 리듬이, 때로는 어떤 특정 단어가 가슴에 와 꽂히기도 할 것이다. 그걸 그대로 누리고 맛보면 그걸로 족하다.

　그날 저녁, 엄마의 구시렁 소리를 무시한 채 그대로 출근한 아버지로부터 전화가 걸려왔다. 설거지 중이어서 물이 뚝뚝 떨어지는 손으로 전화를 받았다.
　-인생은 길고, 넌 아직 피지 못한 꽃이다. 주저앉지 마. 엄마가 하란 대로 하지도 말고.
　그러곤 뚝, 통화가 끊겼다.

　이 전화를 받은 날도 주인공은 시를 쓰지 못했지만, 대신 시를 필사했다. 여전히 시를 쓸 자신도 여력도 없었지만, 아버지의 이 말 한마디가 주인공의 마음을 파고들어 깊이 새겨졌을 것이다. 이 말은 고단한 시절의 복판을 통과 중인 우리 모두에게 필요한 메시지일지도.

　결국 주인공은 아버지가 세상을 떠난 후, 독립을 선언한다. 혼자 방을 얻어 알바를 하고 남은 시간 시를 쓰는 삶을 선택한다. 혼자 지내게 되었다고 곧바로 시가 써질리는 없겠지만, 시를 계속 필사하는 주인공은 이렇게 말한다.

  오늘은 그래서 그런 시를 쓰고 싶었다. 아버지의 죽음과 짙은 초록색으로 변한 이팝나무 이파리에 관해. 거짓말처럼 맑았던 그날 새벽하늘을 지나갔던 검은 새 한 마리에 대해서. 아무도 울지 않았던 그 밤에 대해서. 엄마의 꽃무늬 블라우스에서 맡아지던 나른한 살냄새와 동생의 품에서 꼬무락거리는 스무 개의 손가락과 스무 개의 발가락에 대해서. 그 손과 발이 잡아당긴 생의 끈질긴 얼룩과 여름 소나기에 대해서, 그 소나기 끝에 피어오르는 흰 구름에 대해서. 그해의 열대야에 대해서, 깊고 오래된 골목길에 대해서, 그리고 그리운 사람의 그림자와 나의 눈물과 우리의 정류장과 모두의 무덤에 대해서. 서로의 체취로 속삭이던 노래와 지리멸렬한 계절에 속박되었던 오해와 피우지 못한 꽃과 기꺼운 약속과 작은 책상과 낡은 베갯잇과 차마 다하지 못한 희망과 나는 지금 여기 있다는 것에 대해서.

  어떤 상황에서도 자신의 언어를 갖는 건 자신의 존엄을 지키는 데 중요하다. 나만의 언어를 잃어버렸다는 생각이 든다면, 오늘 밤부터 시를 필사해 보는 건 어떨까.

차 한 잔 할래요?

〈생강빵과 진저브레드〉 - 김지현
〈책장 속 티타임〉 - 기타노 사쿠코
〈오후 4시, 홍차에 빠지다〉 - 이유진

가까이 알고 지내던 분이 갑자기 세상을 뜨는 일이 있었다. 타국에 마련된 작은 빈소에는 코로나19 때문에 고인의 하나뿐인 아들도 함께 할 수 없었다. 빈소에 들어서는 이들은 훌쩍이며 눈물을 참지 못했다. 빈소에 다녀온 후 하루 종일 가슴이 먹먹해 아무 일도 할 수 없었는데, 바로 다음 날에는 아이의 생일 파티가 예정되어 있었다. 분명 다시는 웃을 수 없을 것처럼 슬픔에 눌려 있었는데, 깔깔거리는 아이들의 웃음소리를 들으니 나도 모르게 웃음이 났다.

우리를 아프게 하거나 슬프게 하는 것도 사람이지만, 또 그런 우리를 슬픔에서 건져내어 웃게 만드는 것도 사람이다. 아무리 혼자 있는 걸 좋아한다 해도, 우리는 어떤 형태로든 다른 누군가와 연결되어 지낸다.

"차 한 잔 할래요?" 또는 "차 마시러 갈래요?" 하는 질문은 "우리 친구 할까요?" 하며 누군가를 초대하는 말이다. 차 한 잔 할래요, 하며 초대하는 기분으로 가볍게 읽을 수 있는 책 세 권을 골랐다.

〈생강빵과 진저브레드〉는 소설과 음식, 그리고 번역에 관한 이야기다. 소설가이자 번역가인 저자가 소설 속에 나오는 이국적 음식을 소개하고, 번역에 따라 얼마나 느낌이 다른지를 보여준다. 제목에 나오는 생강빵과 진저브레드는 모두 영어 ginger bread를 번역한 것이다. 분명 같은 음식이지만 생강빵이라 번역했을 때와 진저브레드라고 번역했을 때 독자가 기대하는 경험은 다를 수밖에 없다. 나무딸기 주스와 라즈베리 코디얼, 월귤과 블루베리는 어떤가. 어쩐지 라즈베리 코디얼을 마시는 소녀와 나무딸기 주스를 마시는 소녀는 외모도, 성격도, 말투도 모두 다를 것만 같다.

목차를 보면 빵과 수프, 주요리, 디저트 순으로 영미문화권 소설 속에 등장하는 다양한 음식들이 등장한다. 책을 따라 읽다 보면 소설 속 주인공이 먹는 음식들을 코스별로 맛보며 번역에 따른 묘미 변화를 느낄 수 있다.

〈책장 속 티타임〉은 영미권 소설 중에도 영국 동화로 한정하고, 다양한 음식 중 티와 티푸드만을 소개한다. 저자 기타노 사쿠코는 일본인인데, 영국으로 허브 유학을 다녀왔다. 영국인이 즐기는 허브와 티타임 등 영국 문화를 소개하는 책을 쓰고 강연도 한다. 책 앞머리에 영국 (UK) 지도가 나오는데, 지도 위에 책에서 소개하는 티와 티푸드 그림이 그려져 있다. 그 귀여운 지도를 보는 순간 그 지도를 들고 당장 영국으로 여행을 떠나고 싶은 기분이 들었다.

솔직히 요리를 잘 못하다 보니 음식 만드는 걸 좋아하지도 않는다. 특히 '오늘은 뭐 해 먹지?' 하고 고민하는 걸 끔찍이 싫어한다. 하지만 요리책과 음식에세이를 읽는 건 좋아해, 사다 놓은 책만 백 권은 족히 된다. (〈또 이 따위 레시피라니〉를 쓴 줄리언 반스는 2천 권이라니 비할 바는 아니지만.) 음식을 실제로 하고 먹는 것보다, 책 속에 나오는 음식을 상상해 보는 걸 훨씬 좋아하기 때문이다.

글은 지극히 익숙한 것을 새로운 시선으로 보게 해 준다. 책 속의 음식을 실제 먹어보는 일도 종종 있는데 상상했던 것에 못 미쳐 실망하는 경우가 많았다. 책을 읽고 상상했던 것만큼 좋았던 영화가 거의 없는 것처럼….
물론 상상했던 맛과 비슷하거나 더 맛있는 음식을 만날
때도 가끔 있지만, 그럼에도 책 속의 음식을 현실에서 영
원히 먹어볼 수 없는 게 가장 행복한 일일지 모른다. 상
상력이라는 신비의 조미료를 뛰어넘는 현실의 맛을 만나
기는 쉽지 않기 때문이다.

책을 읽으며 낯선 음식 이름이 나올 때마다 그 이름을
가만히 발음해 본다. 그러면 마음은 이미 이국적인 풍경
속으로 날아가면서, 낯선 곳으로 여행을 떠나는 기쁨을
누릴 수 있다. 어쩌면 그래서 음식, 특히 낯선 음식이 등
장하는 책을 좋아하는 것 같다.

마침 함께 읽은 두 권의 책에 동시에 등장한 음식이
두 가지 있었다. 진저브레드와 라즈베리 코디얼.

두 책 모두 파멜라 린든 트래버스의 〈우산 타고 날아
온 메리 포핀스〉를 소개한다. ginger bread를 진저브레
드로도 생강빵으로도 번역할 수 있는데, 실제 검색을 해
보면 '진저브레드'(20만 건)가 '생강빵'(4만 건)보다 다
섯 배쯤 많이 검색된다. ginger bread가 쿠키를 뜻하기도
하고 케이크 같은 형태의 빵을 뜻하기도 하다 보니, 상황

에 따라 진저브레드나 생강빵으로 번역한다. 우리가 진저브레드 하면 연상하는 귀여운 사람 모양의 진저브레드 맨은 앨리자베스 1세 시대부터 만들어지기 시작했다고 한다. 귀빈이 방문하면 여왕이 그 사람과 닮은 진저브레드 맨을 만들어 건네주었다는 것이다.

라즈베리 코디얼은 루시 모드 몽고메리의 〈빨간 머리 앤〉에 등장한다. 앤이 친구 다이애나에게 라즈베리 코디얼인 줄 알고, 커런트 와인을 마시게 해 취하게 만든 해프닝. 다이애나가 술에 취해 돌아오자 다이애나의 엄마는 앤과 다시는 놀지 말라고 했고, 앤은 몹시 속상했다. 일부러 술을 준 게 아니니 앤으로서는 억울한 일이 아닐 수 없었다.

라즈베리 코디얼은 역자마다 다양하게 번역한다. 라즈베리 코디얼이라고 번역하기도 하지만, 나무딸기 주스나 포도주로 번역한 책도 있다. 코디얼(Cordial)은 라틴어로 심장을 가리키는 '코르'에서 유래했으며, 강심제나 강장효과 약 또는 음료를 말한다. 허브 성분과 농축 과즙으로 만든 달콤한 시럽 또는 그런 리큐어를 지칭하기도 한다. 그러다 보니 코디얼을 많이 접해보지 못한 한국에 소개할 때 역자들은 고민이 많았을 것이다.

　마침 지인 중 차를 전공하고 각종 수제청과 코디얼을 전문적으로 만드는 분이 있어 라즈베리 코디얼 레시피를 얻어 만들어 봤다. 그렇게 어렵지 않게 만들 수 있었는데, 붉은 빛깔이 정말 고왔다. 포도주보다는 라즈베리 코디얼이나 나무딸기 주스에 어울리는 빛깔이었고, 빨간 머리 앤이 레드 커런트 와인과 헷갈릴 만도 하다는 생각이 들었다. 책을 읽을 때 대부분 상상력이 도움이 되지만, 이럴 때는 라즈베리 코디얼이나 레드 커런트 와인에 대한 지식을 정확히 아는 것이 책 속 상황을 이해하는 데 더 도움이 된다.

　집에 백차, 녹차, 청차, 홍차, 보이차 등 다양한 차와 코디얼, 수제청까지 늘 구비되어 있다. 이렇게 매일 차를 마시는 차 애호가가 되었지만, 사실 한때 커피 중독자였다. 대학 다닐 때 혼자 실험을 한 적 있다. 커피와 담배, 술을 동시에 끊어 보는 실험을. 결국 가장 먼저 포기하게 된 것이 커피였다. (지금도 담배와 술은 하지 않으니, 마지막 승자는 역시 커피라고 할 수 있을까.)

차에 대한 막연한 호기심은 있었지만, 오랜 시간 친구가 될 수 없었다. 가까워지지 못하게 막는 장벽이 있었던 것이다. 어느 날, 그 장벽을 뚫어주는 책을 만났다. 바로 〈오후 4시, 홍차에 빠지다〉. 사실 그전에도 차에 관한 책들을 꽤 봤는데, 전부 너무 멀고 어렵게 느껴져 차와의 거리감을 도무지 좁힐 수 없었다. 그런데 이 책이 차의 세계로 들어가는 문턱을 낮춰 주니, 어느 순간 '차덕후'의 세계로 들어갈 수 있었다.

차를 처음 접할 때 대부분 티백으로 차를 만난다. 카페에서 오늘은 커피 대신 차에 도전해 볼까, 하면 대부분 트와이닝스나 립톤 홍차 같은 티백을 우린 티를 접하게 된다. 나 역시 그렇게 도전했다가 차가 너무 써서 한두 모금 마시고 버린 적이 여러 번 있었다.

이 책은 차를 잘 모르는 나 같은 사람에게 쉬운 팁 두 가지를 알려 준다. 첫째는 티백보다 물을 먼저 넣기, 둘째는 2분을 넘기지 않고 티백 건지기다. 티백 대부분이 분쇄차라, 티백을 먼저 넣고 물을 부으면 떫은맛이 과하게 추출된다. 그래서 티백보다 물을 먼저 넣으라고 권하는 것이다. 쉽게 2분 정도만 우리라고 했는데, 보통 티백에는 몇 분 정도 우리면 가장 맛있는 티가 되는지 적혀 있다. 하지만 우리나라 물이 유럽보다 경도가 낮아 티백에 적당하다고 적혀 있는 시간보다 적은 시간 우려야 맛이 좋다. 이 두 가지만 지켜도 웬만한 홍차가 맛있어진다. 세상에, 이렇게 쉬울 수가….

결국 이렇게 간단한 두 가지 팁 덕에 나는 차의 세계로 건너갔고, 한때 커피 중독자였던 내가 커피보다 차를 좋아하는 사람이 되었다.

"차 한 잔 할래요?"

누군가를 나의 세계로 초대하고 싶고, 누군가와 친구가 되고 싶다면 우리는 먼저 상대방이 문턱을 넘을 수 있도록 도와줘야 한다. 사실 그 문턱은 생각보다 훨씬 낮을 테지만, 상대방에게는 높은 장벽처럼 보일 수 있다. 누군가 내 세계로 건너오는데 장애가 되는 낮은 문턱은 과연 뭘까.

반대로 문 앞에서 늘 포기하고 돌아서는 사람이었다면, 어떤 세계로 들어서는 그 낮은 문턱의 비밀을 찾아 슬쩍 딛고 넘어가 보면 어떨까. 차를 너무 사랑하게 된 요즘, 그 낮은 문턱을 넘지 못해 영영 차를 모르고 살았으면 어땠을까 생각하면 끔찍하다.

라즈베리 코디얼은 만들기도 쉽고 빛깔도, 맛도 좋다. 친구 하고 싶었지만 그동안 망설였던 누군가가 있다면 라즈베리 코디얼 한 잔 대접하며 빨간 머리 앤과 다이애나의 해프닝을 이야기해 보면 어떨까.

---

2) 레시피 제공: 임상희

*라즈베리 코디얼을 만들어 보아요[2)]

1. 잘 씻은 라즈베리를 큰 볼에 넣고 레몬즙을 넣어 섞는
   다. (라즈베리 500g에 레몬 크기에 따라 1~2개 정도)

2. 시럽 만들기. 큰 냄비에 물과 설탕을 1:1로 넣고 중간
   불로 끓이다 끓기 시작할 때 한 번 저어 주고 부글거리
   면 불을 끈다. (라즈베리 500g에 물 대략 450ml)

3. 1의 볼에 2의 시럽을 붓고 실온에서 1~2시간 식힌 후
   시원한 곳에서 하루 숙성시킨다.

4. 하루가 지나면 채에 받쳐 수저로 가볍게 눌러 가며 과
   육을 거른다. 너무 으깨면 탁해지므로 가볍게 거른다.

5. 맑게 거른 라즈베리 코디얼을 소독한 빈 병에 담아 냉
   장 보관한다.

6. 라즈베리 코디얼에 탄산수를 넣어 차게 마시거나, 따
   뜻한 물을 넣어 따뜻한 차로 마신다.

   비밀 팁: 1에 소금 한 꼬집을 넣는다.

누구에게 돌을 던져야 하나?

〈침묵의 거리에서 1,2〉 - 오쿠다 히데오
〈소년을 읽다〉 - 서현숙

어렸을 적 읽은 동화책에는 인과응보, 권선징악이 담긴 이야기들이 가득했다. 선과 악, 흑과 백을 정확히 판단해 분류하고, 선한 사람은 승리하고 악한 사람들이 벌 받는 결말을 봐야 마음이 편했다. 살다 보니, 흑과 백의 경계를 정확히 나누는 일이 점점 더 어렵게 느껴진다. 전적으로 선한 사람도, 전적으로 악한 사람도 없는 것 같다.

〈침묵의 거리에서 1,2〉와 〈소년을 읽다〉는 누군가를 악으로 규정하고 그에게 돌을 던지는 일에 대해 깊이 생각해 볼 수 있는 기회를 제공한다.

오쿠다 히데오는 내가 따지지 않고 작품을 사보는 작가 중 하나다. 그의 작품 중 가장 먼저 읽은 건 〈남쪽으로 튀어〉였는데, 읽는 내내 유쾌해서 작가를 좋아하게 되었다. 〈남쪽으로 튀어〉는 2013년 임순례 감독에 의해 영화로 만들어지기도 했다.

오쿠다 히데오의 소설 중에는 〈소문의 여자〉를 특히 좋아한다. 단편 모음인데, 10개의 에피소드에 같은 여자 미유키가 등장한다. 사람들이 수군대고 손가락질하는 미유키가 마치 악녀인 듯 묘사되지만, 읽다 보면 그 손가락이 진정 가리키는 건 손가락질하던 사람들이라는 걸 알게 된다. 우리 주변에서도 쉽게 볼 수 있는 지질하고 못난 군상들.

〈침묵의 거리에서〉는 학교에서 나구라 유이치라는 아이의 시체가 발견되며 이야기가 시작된다. 아이의 죽음을 둘러싼 사람들, 즉 친구들, 선생님, 아이들의 부모들, 경찰 등 각 인물의 시선에서 그 죽음의 원인에 대해 추적해 가는 이야기다. 처음에는 자살로 추정되던 아이의 죽음 뒤에 왕따와 폭력이 있었다는 사실이 밝혀지면서 살인 가능성이 제기된다.

아홉 살 때 왕따를 당해본 적 있다. 물론 왕따라는 단어는 90년대부터 사용되었으니 당시에는 내가 겪는 괴롭

49

힘이 왕따인 줄도 몰랐지만…. 오랜 시간이 지났지만 그 아이의 이름까지 정확히 기억하고 있다. 나를 경쟁상대로 여겼던 그 아이가 반 친구들에게 '재랑 놀지 마' 하고 사주하면서 왕따는 시작되었다. 다행이라고 해야 할까. 아홉 살의 나는 너무도 내성적이라 원래 아무하고도 놀고 싶지 않았기에 왕따의 타격이 심하지는 않았다.

〈침묵의 거리에서〉의 피해자는 사체 부검 때 등과 가슴에서 폭력의 증거가 발견된다. 여러 번 출혈이 생길 정도로 심하게 꼬집힌 흔적이 발견된 것이다. 경찰 수사 중 살인 가능성이 제기되면서 네 명의 아이들이 피의자로 지목된다. 중학생이라도 법적으로 14세 이상이면 처벌을 받기에 에이스케와 가즈키는 체포되고, 겐타와 슈토는 만 13세라 아동 상담소로 보내진다. 같은 학년 친구인데 생일이 지났는지 안 지났는지에 따라 처벌이 달라진 것이다. 이런 상황이다 보니 가해자 부모 사이에도 갈등이 생긴다.

우리나라도 만 14세를 기준으로 그 이상 되어야 처벌 받게 되어 있어 이를 악용해 범죄를 저지르는 촉법소년이 늘고 있다. 촉법소년은 범법행위를 저질렀으나 형사

책임능력이 없기 때문에 형사처벌을 받지 않는 만 10세 이상 14세 미만의 아이들을 말한다. 촉법소년들이 가는 곳이 바로 소년원인데, 〈소년을 읽다〉는 소년원에 있는 소년들 이야기를 다룬 책이다.

먼저 소년원이 어떤 곳이고 어떤 이들이 들어가는지 찾아보니 생각보다 복잡했다. 소년원은 소년법에 의거해 가정법원 또는 지방법원 소년부의 보호처분결정에 의하여 송치된 ▷만 14세 이상 19세 미만의 범죄소년 ▷형법에 저촉되는 행위를 한 10세 이상 14세 미만의 촉법소년 ▷성격 또는 환경에 비추어 장래 형법에 저촉되는 행위를 할 우려가 있는 12세 이상 20세 미만의 우범소년 등을 보호하여 교정교육을 하는 법무부 소속 특수교육기관이다. 이는 실형이 확정된 소년범의 형을 집행하는 소년교도소와 다르며, 수용경력도 전과로 남지 않는다. 소년교도소는 금고형 또는 징역형을 선고받은 미성년자가 수용되는 시설로 형집행 기관이다. 1997년부터는 소년원의 공식 명칭도 '중·고등학교' 또는 '직업전문학교'로 변경되었고, 교육법이 정한 자격을 갖춘 교원을 두고 정규학력이 인정되는 학교로 운영하고 있다.

〈소년을 읽다〉는 국어 교사가 소년원에서 1년 간 국어 수업을 한 이야기다. 좀 더 정확히 말하면 국어 선생님이 소년원 아이들과 함께 책을 읽은 이야기를 담은 교육에 세이 또는 독서에세이라고 할 수 있다. 문장이 유려하지는 않아도 진솔하고, 아이들을 향한 선생님의 따스한 마음이 담겨 있다.

소년원에서 수업을 하게 되었을 때, 저자도 처음에는 두렵고 떨리는 마음이었다. 과연 범죄를 저지르고 들어온 아이들에게 책을 읽힐 수 있을까 걱정도 했다. 하지만 소년원 아이들은 '의외로' 책 읽는 걸 좋아했고, 소년원을 나가 집에 돌아가서도 계속 책을 읽고 싶다고 했다. 심지어 '징벌방'이라는 독방에 갇힐 때도 책을 읽거나 시를 외우고 또 외웠다고 말하는 아이도 있었다.

한 번은 저자가 어떤 아이에게 책을 읽어 주었다. 혹시나 책을 읽어주는 게 어린아이 취급하는 것 같아 싫어하지는 않을까 걱정했는데, 그 아이는 읽어주는 책을 너무도 열심히 들었다. 그 순간이 평생 그 아이에게 누군가가 책을 읽어주는 첫 경험이었던 것이다. 부모도 선생도 그 누구도 그 아이에게 책을 읽어준 적이 단 한 번도 없었다. 어쩌면 그 사실이 그 아이가 소년원에 들어올 수밖에 없던 여러 상황을 단적으로 보여주는 게 아닐까.

소년원에 갇혀 있는 동안이야 할 일이 없어서 그렇지, 사회로 나가면 다시 나쁜 짓 하며 살아갈 아이들이야. 타인에게 고통을 준 가해자들이 책은 읽어 뭐 해. 남한테 해나 안 끼치고 살면 다행이야.

이런 마음은 차갑다. 사람의 온기보다 얼음의 냉기가 느껴진다. 쉽고 좋은 책을 소년의 손에 자꾸 쥐여주고 싶다. 그것은 결국 '책'이 아니게 될 것이다. 책이 아닌 다른 '무엇'으로 화(化)할 것이다. 우리는 소년에게 책을 주지만 소년이 손에 받은 것은 자신을 돌보며 사는 마음 아닐까. 다른 사람과 어울려 살 수 있는 마음 아닐까.

소년원에서 선생님은 아이들에게 그저 책을 건넸을 뿐이지만, 아이들은 자신을 돌보는 마음을 건네받았다.

사실 〈침묵의 거리에서〉는 오쿠다 히데오의 다른 소설에 비해 상당히 느리게 읽혔다. 별 사건이 발생하지도 않는 이야기를 두 권짜리로 길게 이어가는 것이 처음에는 이해가 되지 않았다. 그런데 계속 읽다 보니, 아이들 하나하나의 입장을 조명해 주고 싶었던 작가의 마음을 느낄 수 있었다.

피해자라고 불리는 아이가 사실은 자기보다 약한 아이를 똑같이 괴롭혔고, 집안에서 제대로 돌봄을 받지 못해 죽은 형과 이야기를 나눌 정도로 정신적인 문제가 있었다든지, 부잣집 외동아들이라 부모가 과하게 사치하도록 한 것이 오히려 아이들의 미움을 더 사게 했다든지…. 가해자로 불리고 심지어 살인죄로 벌을 받을 뻔했던 아이가 실제로는 피해자 아이를 감싸 주고 있던 정황이라든지, 자신이 죄를 덮어쓸 수 있는 상황에서도 사실대로 말하지 않고 친구를 덮어주려던 마음 같은 것들.

왕따나 교내 폭력을 다룬 소설이 꽤 있는데, 이 소설은 사건과 관련된 학생들과 교사, 가해자와 피해자의 부모, 기자, 경찰과 검찰 등 다양한 시점의 이야기를 균형 있게 볼 수 있도록 해준다. 오쿠다 히데오가 중학생 나이의 아이들에 대해 많은 조사와 연구를 하고 썼다는 걸 디테일에서 알 수 있다.

아이를 키우는 입장이다 보니 피해자나 가해자 부모들의 심리 묘사 부분에 특히 마음이 갔다. 피해자 부모의 심리는 '사과하지 않는 상대에 대한 괘씸함'이 가장 컸다. 물론 가해자 부모와 아이들이 조문을 왔다 해도 그들을 보며 분노했겠지만, 오지 않은 것에 대해 특히 분개한다. 가해자 부모는 '무조건 자기 자식을 감싸고 싶다'는 마음이다. 사과를 하는 순간 죄를 인정하는 게 되어 혹시 피해를 입을까 걱정하며 죽은 아이의 조문조차 가지 못하는 것이다.

소설을 다 읽고 나니, 각자 다른 위치에 있는 등장인물의 상황이나 마음에 공감이 갔다. "100% 악도, 100% 정의도 존재하지 않습니다. 그 점을 공감해 준다면 작가로서 더없이 행복할 것"이라는 작가의 말에도.

세상이 '착한 사람과 나쁜 놈' 두 무리로 정확히 구분된다면 편리하겠지만, 실제로는 모든 사람 안에 이 두 가지 면이 다 있다.

책을 읽고 이야기를 나누면서 소년원의 소년들은 '나쁜 놈'이 될 수밖에 없었던 저마다의 사연을 조금씩 드러낸다. 만화가 이종철이 택배 상하차 노동 경험을 바탕으로 쓴 〈까대기〉를 읽은 후, 이종철 작가를 초대해 저자와의 만남의 자리를 만들었다. 소년원 아이들은 대부분 '까대기'를 하며 노동시장에 내몰려 본 경험이 있기에 이종철 작가의 책을 훨씬 직접적으로 공감하고 있었다. 같은 또래 다른 학생들은 그저 '까대기'라는 낯선 직업 하나를 알게 되었다고 표현하는 것과는 대조적이다.

소년원을 나가는 날조차 가족이 한 명도 찾아오지 않는 아이도 있다. 저자는 이런 아이들에게 "너는 나쁜 놈일 리가 없어."라는 말을 해준다. 그 말이 아이들의 마음을 만져 준다. 소년원 밖에서는 칭찬이 될 수 없는 말이지만, 소년원 아이들은 세상이 자기들을 이미 낙인찍었다는 걸 알고 스스로도 그렇게 생각하기에 이런 말조차 위안이 되는 것이다.

저자나 소년원 아이들을 방문해 작가와의 만남을 가졌던 많은 작가들이 공통적으로 얘기했던 건 아이들이 너무 평범해 보이고 순해 보여서 놀랐다는 것이다. 흉악한 죄를 지은 아이들일지라도 그 안에는 순수하고 여린 면이 있다는 걸 발견한 것이다. 그 아이들이 처한 열악한 환경에 지속적으로 노출된다면, 나라고 그 아이들이 저지른 죄를 짓지 않을 거라 장담할 수 있을까.

물론 그 아이들 편을 들어 죄가 없다고 말하거나, 벌을 받지 않아도 된다고 옹호할 생각은 전혀 없다. 그들은 한때의 실수든 고의의 잘못이든 죄에 대한 대가를 치르고 있는 아이들이다. 바깥에 있는 우리는 그저 함부로 판단하거나 편견을 갖고 손가락질만은 하지 말았으면, 너무 쉽게 돌을 던지지는 말았으면 한다.

소년원 아이들도 책을 읽기 시작하면서 세상을 납작하게만 보던 시선이 입체적으로 변해갔다. 책을 읽으며 다른 사람을 더 공감하게 되고, 마음의 순한 면들이 드러나기 시작한 것이다. 어쩌면 그 아이들이 더 일찍 책을 읽을 수 있었다면 소년원까지 들어오는 일은 없었을지 모른다.

누군가에게 돌 맞을 짓을 하지 않기 위해서, 또 누군가에게 함부로 돌을 던지지 않기 위해서 책을 읽는 일은 우리 모두에게 절실하다.

시인 부부의 부부 싸움은 시적일까?

〈가만히 혼자 웃고 싶은 오후〉 – 장석주
〈인생은 이상하게 흐른다〉 – 박연준
〈밤은 길고, 괴롭습니다〉 – 박연준

통증 때문에 에너지가 방전된 한 주를 보냈다. 아파 보
니, 남의 이야기를 들어주고 누군가를 받아주는 것도 건
강해야 할 수 있는 일이라는 걸 알았다. 평소라면 어르고
달래며 들어줄 수 있을만한 이야기도 내 몸이 아프니 듣
는 도중 자꾸 짜증이 났다. 그럴 땐 다시 건강하게 단단
히 설 수 있을 때까지 혼자 있는 게 나을지 모른다. 남들
과 어울릴 수 있을 때는 맘껏 어울리고, 혼자 있어야 할
때는 고독 속에 깊이 들어가고…. 각각의 때에 맞게 '따
로 또 같이'를 누릴 수 있는 게 좋지 않을까.

'따로 또 같이'를 적절하게 실천하는 부부 하면 장석주
박연주 시인 부부가 떠오른다. 부부 시인이 각자 따로 낸

책을 읽다 보니, 시인 부부는 부부싸움도 시적으로 할까, 라는 질문이 문득 떠올랐다. 시적인 부부싸움이라는 것이 있다면 어떤 모습일까.

장석주, 박연준 시인이 혼인신고를 한 게 2015년 1월이라고 하니, 결혼한 지 8년이 넘었다. 두 시인이 부부라는 사실은 이제 많이 알려졌고, 오히려 그게 홍보 포인트가 되어 두 시인의 책이 더 팔리기도 했다.

두 시인의 결혼이 사람들의 관심과 흥미를 끈 건 두 사람의 나이 차이와 결혼식 대신 혼인신고만 했다는 사실 때문일 것이다. 결혼 당시 장석주 시인은 60세, 박연준 시인은 35세였다. 박 시인이 25살 때 장 시인의 제자로 만나 수백 통의 연애편지를 보냈고, 8년간 연애 후 2년간 이별도 해봤지만 결국 서로의 사랑을 확인하고 결혼했다. 누구나 하는 결혼식 대신 혼인신고를 한 해에 두 사람의 글을 묶어 책으로 내며 결혼식을 대신했다. 〈우리는 서로 조심하라고 말하며 걸었다〉라는 시드니 여행에세이가 바로 시인 부부의 결혼식인 셈이다. 시드니에서 한 달 살기는 시인 부부에게 신혼여행 같은 것이었고, 이 책을 함께 묶어 내면서 두 사람의 결혼을 만천하에 알리

게 되었다. 시인 부부의 결혼만큼은 몹시 시적이라고 할
수 있다.

　나는 두 시인이 부부라는 사실을 조금 늦게 알았다. 먼
저 책으로 만난 건 장석주 시인이었는데, 장 시인의 시집
보다 에세이와 글쓰기 관련 책을 먼저 읽었다. 장석주 시
인은 네이버 인물검색에 등록된 책만 143권으로(2023년
7월 현재) 다작하는 작가다. 시인 겸 문학평론가로 다양
한 장르의 책을 썼다. 장 시인의 책을 읽은 후 첫 느낌은
'책을 진짜 많이 읽는 사람이구나'였다. 하루에 두 권 정
도의 책을 읽는다고 하니 장석주 시인은 다독과 다작의
대표주자가 아닐 수 없다.

　모든 소란은 고요를 기를 수 있는 힘이 있다고. 모든 소
란은 결국 뭐라도 얻을 수 있게 해줍니다. 하루살이의 미
소 같은 것.

　(박연준 〈소란〉 중)

　박연준 시인은 산문집 〈소란〉으로 처음 만났다. 신선
하고 맑은 문장을 마음에 담은 채 〈모월모일〉을 읽었고,
그 후 좋아하는 작가 리스트에 박 시인의 이름을 올렸다.

2020년 코로나19로 좁은 방 안에 갇혀 지낼 때, 조심스레 여행지를 물색하며 여행 에세이를 찾아 읽고 있었다. 그때 〈우리는 서로 조심하라고 말하며 걸었다〉를 읽게 되었고, 그제야 두 시인이 부부라는 사실을 알게 되었다.

〈우리는 서로 조심하라고 말하며 걸었다〉는 김민정 시인이 두 시인에게 결혼 선물처럼 묶어준 책으로, 뒤표지에 김민정 시인의 말이 적혀 있다. 마지막에는 '두 사람의 결혼을 진심으로 축하합니다'로 끝냈지만, 중간에는 "내 동생이 아깝다고 3박 4일을 지랄해도 모자랄" "연준이를 울리면 장제부는 나한테 혼날 거고요" 등 사랑하는 동생 편을 들며 동생을 두둔하는 언니의 마음이 그득 담겨 있었다. 나는 박 시인의 언니도 아니고, 심지어 박 시인을 책으로 만난 지 얼마 되지도 않았으면서, 언니의 마음자리에 서서 그 책을 읽고 있었다. 김민정 시인의 말을 읽기도 전에 이미 그 말에 동의하고 있었던 것이다.

김민정 시인에게 장 시인이 혼날 만한 일이 신혼여행지에서 이미 일어났다. 〈우리는 서로 조심하라고 말하며 걸었다〉에 부부싸움 장면이 등장한 것이다. 박 시인은 그냥 운 정도가 아니라, 장 시인이 상대도 해주지 않아 혼자 울다 잠이 들었다. 책을 읽다 장 시인의 매정함에 부아가 났다. 제부가 동생을 울리기라도 한 듯 장 시인을 째려보는 마음이 되었다. 그날 밤 박 시인은 와인을 마시고 혼자 울다 바닥에 쓰러져 잠이 들었고, 장 시인은 바닥에 쏟아진 와인을 피로 착각해 한바탕 난리를 벌인다. 붉은 피를 토하고 쓰러진 여인과 연인을 끌어안고 애태우는 남자. 스틸 컷을 묘사하면 시적일 수도 있겠지만, 시인 부부의 부부싸움이 몹시도 산문적이어서 웃음이 났다. 무엇보다 평범한 우리 부부의 싸움과 크게 다르지 않아서.

싸우려는 자는 결국 자신의 '행복'을 위해 싸우는 것이다. (…) 싸우지 않는 커플은 문제를 해결할 의지가 없는 것이고 죽어가는 나무처럼 조용히, 조갈 속에서 칙칙하게 썩어갈 뿐이다.

(박연준, 〈우리는 서로 조심하라고 말하며 걸었다〉 중)

시인 부부는 오히려 싸우는 것이 건강한 부부라고 말하고 있다. 서로 사랑하고 함께 하는 것이 행복하다는데, 더구나 싸우는 것도 행복을 위한 것이라는데 웬 오지랖

인지…. 무조건 박 시인을 두둔하며 언니의 마음자리에 서는 건 어쩌면 내가 두 여동생을 둔 실제 언니이기 때문일 것이고, 그보다는 아내의 자리에 더 공감하기 때문에 아내 편을 드는 것일 것이다.

두 시인이 부부라는 사실을 알고 나니, 두 시인이 각각 낸 책들이 조금 다르게 읽혔다. 예전에 눈에 띄지 않던 문장들에 눈이 간다고 해야 할까.

장석주 시인의 산문집 〈가만히 혼자 웃고 싶은 오후〉는 2017년에 출간된 책이니 결혼 후에 나온 책이다. 처음 읽을 때는 눈여겨보지 않고 흘려 읽었던 문장인데, '헬싱키에서 육개장이 먹고 싶다고 하던 아내'가 바로 박연준 시인이었다. 저자 '아내'의 얼굴이 구체적으로 그려지자 모르고 읽었을 때와는 전혀 다른 그림이 그려졌다.

"결혼해도 안 해도 실망"이라는 장 시인의 문장도 다시 눈에 띄었다. 처음 읽었을 때는 장 시인이 결혼 2,30년 차쯤 되었을 것으로 짐작했기에 대수롭지 않게 읽었던 문장이다. 그런데 겨우 결혼 1,2년 만에 후회 얘기를 하다니, 언니가 제부를 바라보듯 장 시인을 흘겨볼 수밖에 없는 대목이 아닌가. 그러고 보니 제목은 또 왜 '가만히 혼자 웃고 싶은 오후'야?

박연준의 에세이 〈인생은 이상하게 흐른다〉에도 헬싱키가 등장한다. 장 시인 책에서 육개장을 먹고 싶다고 했던 바로 그 아내도 당연히 헬싱키에 같이 있었던 것이다. 서로 다른 책에 다른 글을 썼지만, 두 시인이 부부로 함께했던 순간을 알아채는 것. 이런 소소한 발견이 책을 읽을 때 또 다른 즐거움을 준다.

'책 결혼식'으로 결혼을 알리고, 사랑을 공론화시키고 나니 오만 가지가 편해졌지만 서너 가지가 불편하다. 그중 하나는 오래된 내 남편을 나보다 오래 보아온 사람들이 나를 보자마자 건네지 못해 안달난 조언, 혹은 충고를 듣는 일이다. 그들은 대개 여자이고 나보다 스무 살 이상은 나이가 많다. 얼마 전에도 그런 일이 있었다.

그녀는 나를 (뜯어) 보더니, 다가와 이것저것 말을 건넨다. 우리 결혼 얘기 (대부분 축하)를 필두로 '내 남편' 이야기를 한다. 그녀는 '자기가 훨씬 잘 아는' 그에 대해 이야기하고 싶어 한다. 당신은 (아마도 어려서, 그의 옛 모습을) 모를 테지만 "나는 잘 알아요." 그녀는 일단 그에 대해 더 잘 알고 있음을 강조한다. (…)

누가 누구를 얼마만큼 잘 아는지, 그것도 내 남편에 관해서, 이렇게 얘기하는 그들의 속내를 모르는 바 아니다. 나처럼 사람 심리를 연구하는 것을 유별나게 (+쓸데없이) 좋아하는 애라면 특히 잘 안다. 그녀는 다방면에서 '(자신보다) 잘 알지 못하는' 나를 탓하며 우쭐해지고 싶은 것이리라.

(박연준 〈인생은 이상하게 흐른다〉 중)

나이가 어리다는 이유로 가해지는 판단과 무례한 조언들은 여기서 끝나지 않았다.

"아버지가 그리운가 봐? 아버지를 대체할 수 있는 남자를 찾나?"

이렇게 단정 짓고 묻는 사람들의 생각은 1차원적이고, 프로이트 식의 사고에서 벗어나지 못했으며, 사유의 깊이도 없기 때문에 딱히 마음이 쓰이진 않는다. 그러나 간혹 너무도 확고하게 자신의 생각이 맞다고 생각하는 이들에게는 이렇게 얘기해주고 싶다 (일렬로 세워놓고 꿀밤을 때리는 상상을 하면서).

"아버지가 그리우면 아버지 닮은 남자를 골라 섹스하며 가정을 꾸리고, 어머니가 그리우면 어머니 닮은 여자를 골

라 섹스하며 가정을 꾸리는 삶? 그런 인과가 자연스럽게
연상될 정도로 근친상간에 열려 있나 봐요?"

(박연준 〈밤은 길고, 괴롭습니다〉 중)

박 시인 옆에서 일렬로 서 있는 사람들에게 꿀밤을 때
리는 상상을 하면서 혼자 배꼽을 쥐었다. 생각만 해도 어
찌나 시원한지. 나이 차이가 많다는 사실을 가십처럼 소
비하는 사람들에게 자신의 생각을 솔직하고 후련하게 글
로 써내는 박 시인을 좋아하지 않을 수 없다. 사실 내가
나이가 많다고 언니의 자리에 서서 두둔한다고 말했지
만, 박 시인의 이런 단단한 모습을 보면 오히려 내가 박
시인에게 '언니'라고 부르며 도움을 청해야 할지도 모르
겠다.

'순하게 빛나는 것들을 좋아하'는 시인, 박연준.
'서재와 정원을 사랑'하는 시인, 장석주

시인 부부의 에세이를 읽으며 부부 관계와 결혼에 대
해 생각해 볼 수 있었다. 작가에 대해 조금 더 아는 것이
책을 읽는 경험을 어떻게 바꾸는지에 대해서도.

두 부부가 함께 실린 인터뷰 기사를 읽었다. 박 시인은

지금까지처럼 각자 쓴 글을 한 권에 묶는 형식이 아니라 문학 작품을 함께 집필하고 싶다고 했다. 문장 안에서 사랑을 나누는 연인 이야기를 장편소설로 쓴 적이 있어 그런지 시인 부부가 함께 만들 문학 작품이 진심으로 기다려진다. 전혀 다른 두 사람이 함께 시를 쓰고, 함께 소설을 쓴다는 건 어떤 모습일까. 시나 소설 안에서 시인 부부가 문장을 섞는 일은 얼마나 아름다울까.

여백을 남기고 또 채우는

〈여백을 채우는 사랑〉 - 윤소희
〈사랑은 그렇게 끝나지 않는다〉 - 줄리언 반스

글을 왜 쓰는가? 종종 남에게 질문을 받기도 하고 스스로에게 거듭 묻기도 한다. 여러 버전의 답이 있을 수 있겠지만, 여백을 남기고 또 채우기 위해 쓴다고 답할 때가 많다. 그리고 그건 사랑 때문이다.

1) 기억의 여백

친구가 갑자기 폭탄 발언을 했다. 사실은 20년 동안 나를 저주하고 있었다고. 내가 가장 힘들고 절박했을 때도 알고 있었지만 일부러 외면했다고. 친한 친구였기에 충격이 너무 커 그대로 한 나절을 쓰러져 잤다. 나를 저주하게 된 원인을 듣고 보니 나로서는 너무 억울한 일이었다.

지난 기록들을 훑어보다 우연히 발견한 문장이다. 기록 날짜를 보니 5년 전쯤이다. 내용에도 놀랐지만, 겨우 5년 밖에 안 된 일을 까맣게 잊고 있었다는 사실에 더 큰 충격을 받았다. 심지어 문장을 읽으면서도 20년 동안 나를 저주했다는 친구가 누구인지 기억해 낼 수 없었다.

〈여백을 채우는 사랑〉에 실릴 뻔했던 에세이 일부다. 친구가 나를 저주하게 된 원인을 밝히지 않으면 실을 수 없다는 편집장과 친구의 비밀을 공개할 수 없다는 내가 출간 직전까지 팽팽하게 맞섰다. '20년 동안 저주한 친구'라니 독자를 몹시 궁금하게 만드는 자극적인 문구인데 왜 그랬는지 알려주지 않으면 독자들이 실망할 거라는 편집장의 말에 반박할 수 없었다. 편집장은 친구 이름을 공개하는 게 아니니 괜찮다고 설득했지만, 오랜 고민 끝에 결국 그 글을 책에 싣지 않는 것으로 결론을 냈다. 한때 나를 오해해 20년 동안이나 저주했던 친구에게 다시 상처를 주고 싶지 않아 어렵게 쓴 글을 포기한 것이다.

무엇을 기록으로 남길 것인가. 또 기록된 글 중 무엇을 세상에 공개할 것인가. 이 고민은 아마 글을 쓰는 한 남은 인생 계속될 것이다.

기억은 온전하지 않다. 나이가 들어 기억력이 쇠퇴하기 때문이기도 하고, 무의식이 괴로운 기억을 억압하기 때문이기도 하다. 어떤 이유든 망각 덕분에 만날 때마다 같은 이야기를 무한 반복하는 어르신들의 이야기를 매번 처음 듣는 듯 재미있게 들을 수 있다. 숱한 일을 겪고도 마치 고생 한 번 안 해 본 얼굴로 웃을 수 있는 것도, 20년 동안 나를 저주했다던 친구의 말을 듣고도 친구와의 관계에 전혀 거리낌이 없던 것도 기억을 잃은 덕분이다.

망각이 축복이긴 하지만, 정말 잊고 싶지 않은 기억도 종종 지워진다. 소중한 기억을 잊지 않기 위해, 기억의 여백을 채우기 위해 오늘도 글을 쓴다.

2) 사랑의 여백

책 제목이 되기도 한 에세이 '여백을 채우는 사랑'은 책갈피 속에 연인이 숨겨놓은 문장이 몇 년 뒤에 배달된 이야기를 모티프로 썼다. 예기치 못한 곳에서 기록이 발견될 때 기쁨을 준다. 책갈피 속에서 발견된 짧은 끼적임이 사랑의 여백을 남기고 또 채워준 것이다. 사실 그 책갈피 속 편지의 주인공인 남편은 내게 연애편지를 많이 써 보내지도 않았고, 로맨틱한 사람도 아니었다. 하지만 남편이 여백에 남긴 문장이 내 손에 닿았을 때, 그는 어떤 시인보다 시적이고 그 어떤 아이돌보다 멋진 남자로 내게 각인되었다. 짧아도 좋으니 기록을 남기고, 가능하면 보물찾기 하듯 여기저기 숨겨 놓으면 어떨까.

3) 싸움의 여백

그런가 하면 엉뚱한 곳에서 발견되어 긴장과 갈등을 일으키기도 하는 게 기록이다. 남편은 어릴 적 쓰던 지우개 한 조각까지 모두 간직하려는 입장이고, 나는 불필요한 걸 치우고 버리자는 쪽이다. 그렇다 보니 이사를 할 때마다 서재 정리는 내가 맡게 된다. 결혼 후 이사가 벌써 몇 번째인데, 정리를 할 때마다 새로운 걸 발견한다. 하루는 서재에서 남편이 대학 시절에 쓴 연애편지를 발견했다. 남편이 받은 편지도 아니고, 남편이 다른 여자에게 쓴 편지를! 결국 작가로서 할 수 있는 복수를 할 수밖에. 세상에서 가장 조용한 무기를 들었다. 그 에피소드가 담긴 에세이가 바로 '비밀 없는 스핑크스'다.

주변에 작가가 있다면 절대 괴롭히지 말기를! 조용한 복수가 가장 무섭다.

4) 상상의 여백

프랑스로 유학 온 한국 학생이 어느 날 쓰레기 소각장에서 반쯤 타다 만 일기장을 발견한다. 신비한 아라베스크 문양의 두툼하고 고급스러운 양장본 일기장을. 꼼꼼하게 적은 문장과 그림들. 한때 몹시 소중히 여겼던 일기장이 어떤 사연에 의해 태워진 듯했다. 한참 태우다 불을 급하게 끈 탓인지 군데군데 타들어간 흔적이 남아 있었지만, 일기장 안에 담긴 내용 일부는 알아볼 수 있었다. 그 일기장을 주워온 유학생은 불어 사전을 들고 몇 날 며칠을 씨름하며 해독한 끝에 일기장 주인이 로리라는 여자를 사랑했다는 사실을 알게 되었다. 로리와 함께 할 미래를 꿈꾸며 세웠던 모든 계획들이 어느 날 산산조각이 나고 만다. 늘 다른 곳에 시선을 두고 있던 로리와 결국 헤어지게 된 것이다.

버려진 일기장을 관계도를 그려가며 해독했던 유학생은 한국에 돌아와 그 일기장을 전시한다.

일기장 한 장 한 장에 포스트잇을 붙여 해석하고 이해하기 쉽게 관계도를 첨부해서….

비가 억수같이 쏟아지던 어느 여름날, 한때 막걸리를 만들던 폐주조장을 개조해 만든 전시장에서 나는 그 일기장을 만났다. 〈날 것, 그대로의 것〉[3]이라는 제목으로 전시된 그 일기장을 보고 쓴 에세이가 바로 '버려진 일기장'이다.

1 프랑스에 지금도 살고 있을지 모르는 로리
2 일기장 주인이 일기장에 기록했던 로리
3 유학생이 전시장 안에 전시했던 작품 안의 로리
4 〈여백을 채우는 사랑〉에 실린 에세이 '버려진 일기
  장' 안의 로리
5 에세이 '버려진 일기장'을 읽은 독자의 로리

일기장 주인이 기억하고 있는 로리와 일기장에 적힌 로리는 다르다. 더구나 불에 그을려 지워진 기록은 더더욱 다르다. 남겨진 기록을 해석해 전시한 작품을 보고 내가 읽어낸 로리는 따라서 현실의 로리와는 완전히 다른 인물이다. 하지만 기억과 기록을 더듬는데 그것이 얼마만큼 사실이냐는 그리 중요하지 않을지 모른다. 버려진 일기장에서 읽어내는 건 어차피 일기장 주인의 이야기가 아니니까. 까맣게 타다 남은 일기장을 한 장 한 장 넘기며 각자 자기 기억

3) 2020년 해동문화예술촌에 전시된 유지원의 작품

73

에 남아 있는 '로리'를 떠올릴 뿐이다.

('버려진 일기장' 일부, 윤소희 〈여백을 채우는 사랑〉 중)

새롭게 창조된 수많은 '로리'가 탄생할 수 있는 건 우리의 상상이 끼어들어 갈 수 있는 여백 때문이다. 앞으로도 독자들이 수많은 '로리'를 새롭게 만들어 낼 수 있는 그런 여백이 많은 글을 쓰고 싶다.

줄리언 반스는 참 좋아하고 또 부러워하는 작가다. 〈예감은 틀리지 않는다〉를 읽고는 소설 쓰는 걸 포기하고 싶어질 만큼 감탄했다. 글을 잘 쓰기 때문에 부럽기도 하지만, 그런 남자가 또 아내를 지극히 사랑하는 걸로 유명해서 더욱더 좋아하지 않을 수 없다.

줄리언 반스의 아내는 뇌종양 판정을 받고 겨우 37일 만에 세상을 떠났다. 평생 사랑했던 아내의 갑작스러운 죽음 후, 4년 동안 침묵했던 줄리언 반스가 〈사랑은 그렇게 끝나지 않는다〉라는 책으로 입을 열었는데, 거기 이런 내용이 나온다.

내가 자살을 할 수 없는 이유 (…) 내가 자살하면 나 자신만이 아니라 아내까지 죽이는 일이 되기 때문이었다. 욕조의 물이 붉게 변하면서 그녀에 대한 나의 빛나는 기억들이 희미해져 갈 때, 그녀는 두 번째로 죽게 될 것이다.

누군가가 죽은 후에도 살아남을 수 있는 건 사랑하는 이의 기억 때문이다. 기억이 사라진다면 사랑하는 사람은 두 번째 죽음을 맞게 되고 정말 흔적도 없이 사라지게 된다. 정말 소중한 것들이 기억과 함께 사라지도록 놓아두는 건 슬픈 일이 아닐까.

줄리언 반스는 사랑하는 아내를 따라 자살하지 않고 계속 살아가면서 아내에 대한 기억을 보존하는 걸로 사랑을 지켜냈다. 더구나 그가 아내에 대한 기억과 사랑을 글로 남겨 놓았기 때문에 그의 아내는 나를 포함한 많은 독자들 마음속에 훨씬 더 오래오래 살아남을 것이다.

누구에게나 잊고 싶지 않은 소중한 것들이 있다. 소중한 것들이 사라지지 않도록 새 생명을 주는 일이 기록, 바로 글을 쓰는 일이라 믿는다. 여백을 채우고 또 남기기 위해 오늘도 글을 쓴다.

나무도 느끼고 생각한다고?

〈오버스토리〉 - 리처드 파워스
〈나무 수업〉 - 페터 볼레벤

아파트 단지 안을 걷든, 거리로 나가든 사실 어디를 가
도 나무 한두 그루 보이지 않는 곳은 없다. 매일 나무와
마주치는데 솔직히 하루에 몇 번이나 나무를 유심히 바
라볼까. 베이징에서 마지막에 살았던 아파트 단지에 유
난히 꽃나무가 많았다. 덕분에 봄에 집밖으로 나갈 때마
다 호사를 누렸다. 목련, 라일락, 자두 꽃 등 꽃이 활짝 피
어 있는 나무를 보는 일은 꽤 즐거웠다. 하지만 화사한
꽃이 지자 언제 그랬냐는 듯 나무에게서 등을 돌렸다. 꽃
이나 열매라면 모를까, 나무 자체에는 관심이 없던 것이
다.

베이징은 봄에 꽃가루가 심한 걸로 악명이 높다. 꽃가

루가 심하게 날릴 때는 나무를 원망하기도 했다. 사실 나무의 잘못이 아니라 생각 없이 포플러 등을 대량으로 심은 사람의 잘못이라는 걸 알면서도 그랬다.

이렇게 나무에 무관심했던 내가 나무를 유심히 볼 수 있도록 해준 책이 바로 리처드 파워스의 소설 〈오버스토리〉다.

〈오버스토리〉는 맨부커상 최종심까지 올랐고, 2019년에는 퓰리처상을 수상했다. 맨부커상 심사위원이 〈오버스토리〉를 두고 이렇게 말했다.

리처드 파워스는 나무를 위해 이야기하는 게 아니라, 나무 스스로 자기 이야기를 하게 만들었다.

장장 7백 페이지가 넘는 소설의 주인공은 사람이 아니라 나무, 더 정확하게 말하자면 숲이다. 리처드 파워스는 나무에게 주인공의 자리를 아주 적절하게 내어 주었다. 소설 제목인 오버스토리(Overstory)는 숲 상층부의 전체적인 생김새를 뜻하는 말로 '숲의 지붕'이라고 할 수 있다. 목차만 봐도 뿌리, 몸통, 수관, 종자의 순으로 되어 있어 나무가 주인공임을 잘 보여준다.

그렇다고 사람이 나오지 않는 건 아니어서, 소설은 각기 한 그루의 나무로 상징되는 아홉 인물의 개별적인 삶을 극적으로 보여준다. 숲이 그러하듯, 이들의 삶도 예기치 못한 순간에 서로 연결되며 또 다른 거대한 이야기 숲을 이룬다.

1) 니컬러스 호엘:

아버지를 묻은 곳에 밤나무를 심고, 매달 21일 나무 사진을 찍는다. 그 가업을 자식이 물려받고 또 그 자식이 물려받고…. 마침내 화가인 니컬러스는 비극적인 운명의 밤나무 초상 사진 100년 치, 곧 천 장이 넘는 사진을 물려받는다.

2) 미미 마:

미미 마는 엔지니어로 이민자 아버지로부터 뜻 모를 아라한의 족자와 나무가 세공된 반지를 물려받는다.

3) 애덤 어피치:

어피치 가족은 아이가 태어나기 전에 그 아이를 위한 나무 한 그루를 심어준다. 리의 느릅나무, 진의 물푸레나무, 에밋의 아이언우드, 애덤의 단풍나무, 아기 찰스는 검은 호두나무.

4,5) 레이 브링크먼과 도러시 카잘리:

레이 브링크먼은 변호사, 도러시 카잘리는 속기사다. 시민 극장에서 [맥베스]를 공연하며 '움직이는 숲'의 예언을 재현하기 전까지는 나무에 관심도 없었다.

6) 더글러스 파블리첵:

미공군이었던 더글러스 파블리첵은 비행기가 격추당했으나 반얀나무 위로 떨어져 살아남는다.

7) 닐리 메타:

닐리는 어릴 적 나무에서 떨어져 반신불수가 된다. 컴퓨터 속 세계에서 더 생동감 있게 움직인다.

8) 페트리샤 웨스트퍼드:

페트리샤는 청각과 언어 장애를 가진 과학자로 나무들이 서로 의사소통을 한다는 사실을 알아낸다.

9) 올리비아 밴더그리프:

파티광 대학생인 올리비아는 감전되어 잠시 죽었으

나, 공기와 빛의 존재들에 의해 되살아난다.

이렇게 나열하면 전혀 관련 없어 보이는 아홉 명의 사람들이 나름의 사연을 갖고 나무와 인연을 갖고 있다. 그 아홉 명이 벌목 위기에 놓인 원시림을 구하기 위해 모인다. 마치 원시림이 이들을 불러 모으기라도 한 것처럼.

이들의 이야기 중 페트리샤 웨스트퍼드 박사가 연구한 '나무들이 서로 의사소통한다'는 내용에 가장 호기심이 일었다. 물론 소설이지만 리처드 파워스가 전혀 근거 없는 이야기를 쓰지는 않았을 거란 생각이 들었기 때문이다. 그리고 그 내용이 사실이라는 걸 산림 전문가의 책 〈나무 수업〉을 읽고 확인할 수 있었다.

〈나무 수업〉을 쓴 페터 볼레벤은 독일인으로 임업대학을 졸업해 산림 기사, 산림관리 공무원으로 일했고, 휨멜 조합의 산림경영지도원으로 활동했다. 휨멜 조합은 농약을 사용하지 않고 기계 대신 말이나 사람의 손으로 산림을 관리하는 독일에서도 몇 안 되는 친환경 숲 중 하나를 운영하는 곳이다. 그런 그도 처음 산림경영지도원이 되었을 때는 나무에 무지했다고 고백한다.

처음 산림경영지도원이 되었을 당시 나무에 대한 나의 지식은 아마 정육점 주인이 소의 감정에 대해 아는 것보다도 더 적었을 것이다.

페터 볼레벤 역시 처음에는 실적과 영리에만 관심을 쏟다 보니, 당연히 소가 어떻게 느끼는지 전혀 모르는 정육점 주인처럼 나무가 어떻게 느끼는지 생각조차 해보지 못했다. 하지만 산림경영지도원을 계속하면서 나무도 우리처럼 느끼고, 기억하며 서로를 돌본다는 사실을 알게 된다.

나무도 아픔을 느끼고, 지난 일을 기억할 수 있으며, 나무의 부모도 자기 자식들을 돌보며 함께 산다는 사실을 아는 사람이라면 함부로 자식을 부모에게서 베어 버리거나 둘 사이를 기계로 마구 헤집지 못할 것이다.

놀라운 깨달음은 어느 날 바닥에 있는 이상한 돌을 발견하는 걸로 시작된다. 자세히 살펴보니 돌이 아니라 나무였다. 아주 오래된 나무 그루터기의 자투리. 신기한 것은 속은 오래전에 다 썩어 부식토가 되었는데, 테두리가 온전히 살아있다는 것이다. 도대체 어떻게 그런 일이 가능할까? 나무에 잎이 없다면 광합성을 할 수 없으니 영양을 공급받을 수 없다. 이미 죽어 없어져야 당연한 나무 그루터기의 자투리는 뿌리를 통해 이웃 나무들의 지원을 받았던 것이다. 이웃나무들이 영양분을 공급해 주어 나무의 자투리마저 생명을 유지할 수 있던 것이다. 페터 볼레벤은 숲이 제아무리 허약한 구성원도 함부로 포기하거나 버리지 않는다는 사실에 놀라며, 이를 '나무들의 우정'이라고 불렀다.

하지만 인공적으로 조성한 숲의 나무들은 우정을 모르는 거리의 아이들처럼 행동한다. 이식을 통해 뿌리가 지속적으로 손상되어 그런 네트워크를 조성하기가 힘들기 때문일 것이다. 인공 숲의 나무들은 외톨이들이다. 그래서 오래 살기가 힘들다.

인간보다 더욱 인간적인 나무들의 우정을 방해하는 건 바로 인간이다. 나무들이 모여 숲을 이룰 때 서로 도움을 주며 튼튼하고 건강하게 살아갈 수 있는데, 우리 멋대로 나무들의 네트워크를 마구 끊어놓고 있는 것이다.

〈오버스토리〉에서 나무들이 의사소통을 한다는 연구 결과 일부가 소개되었는데, 〈나무 수업〉에 보면 나무의 의사소통을 좀 더 구체적으로 소개하고 있다. 나무뿌리에서 나오는 주파수 220 헤르츠의 나지막한 '탁탁' 소리를 측정기로 잡아낸 것이다. 측정기에 연결하지 않은 묘목의 뿌리가 그 소리를 듣고 반응을 보인다는 것도 알아냈다. 220 헤르츠의 '탁탁' 소리가 들릴 때마다 묘목 뿌리 끝이 소리가 나는 방향으로 향했던 것이다. 아직 연구가 더 진행되어야겠지만 나무도 '말을 하고 들을 수 있다'는 일부 증거가 발견된 것이다.

나무는 이렇게 서로 소통하고 함께 연결되어 서로 도우며 살기를 원한다. 그런데 묘목을 인간이 원하는 곳에 갖다 심고 공원 등을 조성한다면, 마치 아이가 가족이나 친척도 없는 먼 이국땅에서 외톨이로 자라는 것과 같다. 사람이 아무리 정성스레 물을 주고 가꾼다 해도 "느리게!" "200년은 기다려야 해!"라고 가르치며 똑바로 자라지 않으면 빛을 앗아 버리는 엄마의 교육과 보호 없이 자라게 되는 것이다.

인간이 보기 좋으라고 나무 여기저기에 톱질하는 것을 도시에서는 특히 많이 볼 수 있는데, 볼레벤은 이걸 학살이라고 표현한다. 나무를 위하는 듯 포장하지만, 그저 사람 보기 좋으라고 하는 짓일 뿐이라고. 수관을 자르면 뿌리까지 심각하게 타격을 입기 때문에 나무에게는 치명적이라는 것이다. 양분을 충분히 얻지 못해 뿌리가 죽기도 하고, 톱질한 상처로 균류가 침입하기도 한다.

결국 '나무에게 맞는 삶'이란 인간이 보기 좋은 대로 가꾸고 보호하는 것이 아니다. 나무가 사회적 욕구를 실현할 수 있고, 완벽한 흙을 갖춘 진짜 숲에서 성장할 수 있으며, 쌓은 지식을 다음 세대에게 물려줄 수 있다는 뜻이다. 적어도 일부나마 존엄하게 늙어갈 수 있고 마침내 자연사를 할 수 있어야 한다. 그런데 우리는 나무들에게 어떤 짓을 하고 있는가.

아무도 나무를 보지 않는다. 우리는 열매를 보고, 견과를 보고, 목재를 보고, 그림자를 본다. 장식품이나 예쁜 가을의 나뭇잎을 본다. 길을 가로막거나 스키장을 훼손하는 장애물로 본다. 깨끗이 밀어야 할 어둡고 위험한 장소로 본다. 우리 집을 무너뜨릴 수 있는 가지들을 본다. 황금성 작물을 본다. 하지만 나무는, 나무는 눈에 보이지 않는다.
(리처드 파워스 〈오버스토리〉 중)

동물은 공감을 하고 보호하려는 사람도 꽤 많아졌는

데, 나무 같은 식물은 아무것도 느끼지 못한다고 생각하고 함부로 하는 경우가 여전히 많다. 나무를 나무로 보지 못하고 쓸모를 찾아내 어떻게 더 이용할까에만 혈안이 되어 있는 것이다.

〈오버스토리〉에서 벌목 위기에 놓인 원시림을 구하기 위해 모여든 아홉 명 중 다섯 명은 급진환경주의자가 되어 벌목을 막기 위해 나무 꼭대기에서 1년 가까이 머물며 시위를 한다. 지속적으로 벌목을 막기 위해 방화를 하기도 하는데, 이 과정에서 올리비아가 죽는다. 부랑자로 살던 더글러스는 경찰에 잡히고, 방화사건 주동자로 지목된 애덤은 140년 형을 선고받는다. 소설은 벌목을 성공적으로 막고 세계인들이 숲을 보존하며 행복하게 살았더라, 하는 해피엔딩으로 끝나지 않는다. 현실이 그렇지 않기 때문에….

나무와 숲은 살아있다. 그리고 그들만의 완벽한 세계를 이루고 있다. 하지만 인간은 효용성과 경제성만 따지며 그런 숲을 마구 훼손하고 있다. 사실 효율성과 경제성만 따진다 해도 자연 그대로의 숲을 보존하는 게 유리하다. 〈나무 수업〉의 저자는 실제로 친환경 숲을 보전하면서 경제적 이익도 증가한 걸 체험했다. 우리는 인간을 위한다면서 숲을 훼손하고 있지만 사실은 인간에게도 더 해로운 어리석은 선택을 하고 있는 셈이다.

그 모든 걸 떠나 인간이 숲의 지배자인 듯 오만하게 숲을 마구 훼손하고 있지만, 수명만 놓고 보아도 수백, 수천 년을 사는 나무에 비교하면 우리의 삶은 그야말로 찰나에 지나지 않는다.

버텨. 100년에서 200년 정도만. 너희들한테는 어린애 장난 같은 거지. 너희는 우리보다 더 오래 살아남아야 해. 그러면 너희를 건드릴 사람이 아무도 남지 않을 거야.

(리처드 파워스 〈오버스토리〉 중)

나 역시 100년도 채 못 살고 사라질 인간이지만, 나무 편에 서서 허리에 손을 얹고 인간에게 말해주고 싶다. 얼마 살지도 못하면서 까불지 말라고.

꿈쩍 않고 가만히 죽은 듯 서 있는 나무지만, 그들도 감각하고, 감정을 가지며, 기억을 하고, 서로 소통하며, 어린 세대를 교육하고 병든 이웃을 돌본다. 어쩌면 인간보다 훨씬 인간적인 방식으로.

기자 출신 소설가와 소설 쓰는 기자

〈책 한번 써봅시다〉 - 장강명
〈고도일보 송가을인데요〉 - 송경화

저자가 모두 전현직 기자라는 이유만으로 〈책 한번 써
봅시다〉와 〈고도일보 송가을인데요〉를 함께 소개하는
건 아니다. 만약 그 이유 때문이라면 장강명 작가의 여러
소설 중 하나를 골랐을 것이다. 우연히 두 권의 책을 비
슷한 시기에 읽게 되었는데, 장강명 작가의 〈책 한번 써
봅시다〉에 담긴 이상이 실현되는 모습이 바로 송경화 기
자가 쓴 소설 〈고도일보 송가을인데요〉가 아닐까 하는
생각이 들었다.

장강명 작가는 설명이 필요 없는 유명 소설가다. 그는
동아일보에서 11년 동안 기자로 일했고, 장편소설 〈표백
〉으로 한겨레문학상을 수상하며 소설가로서 본격적으로

활동하기 시작했다. 기자로서의 경력 덕분에 그의 소설은 문학만 한 소설가의 소설과는 결이 다르다. 기자로서의 치밀한 취재가 바탕이 되다 보니 내용이 구체적이고 리얼하며 사회현실을 고발하는 내용도 많다.

〈책 한번 써봅시다〉는 책 쓰기와 글쓰기에 관한 책이다. 그동안 읽은 글쓰기 관련 책만 해도 100권이 넘는데 또 한 권 더한 셈이다. 도대체 어떻게 해야 좋은 글을 쓸 수 있는지, 또 글을 잘 쓸 수 있는지 갈급한 마음에 보이는 대로 사들였다. 글쓰기 책의 저자는 그야말로 다양해서, 나이, 성별, 국적, 유명세도 다르고, 그동안 쓴 저서의 장르도 다 다르다. 하지만 그 많은 글쓰기 책에 적힌 조언은 의외로 대동소이하다. 일단 '닥치고 쓰라'거나, 문장을 짧게 쓰라거나, 형용사나 부사를 남발하지 말라거나…. 글쓰기에 얼마나 효용이 되느냐의 관점에서만 본다면, 장강명 작가의 〈책 한번 써봅시다〉가 특별히 뛰어나거나 다른 글쓰기 책과 크게 차별화된다고는 할 수 없다.

하지만 장강명 작가가 이 책에서 보여준 이상적인 사회의 모습이 내가 그리는 이상과도 일치해서 이 책을 소개하고 싶었다. 다시 말하면 이 책은 서문이라 할 수 있는 첫 번째 챕터가 거의 전부라고 할 수 있는 책이다. (물론 나머지 챕터에도 유용한 조언들이 많다.)

〈책 한번 써봅시다〉의 서문에는 〈즐거운 자전거 생활〉이라는 책이 소개된다. 〈즐거운 자전거 생활〉은 자전거 전문가도 아니고 레이서도 아닌 방송 프로듀서가 자전거의 즐거움과 감동에 대해 쓴 책인데, 자전거를 중심에 둔 어떤 사회에 대한 그의 꿈이 담겨 있다. 그 책을 읽은 후 장강명 작가는 자전거가 아닌 '책이 중심에 있는 사회', 곧 책 중심 사회를 꿈꾸게 된다.

책이 중심이 되는 사회라니, '자전거로 돌아가자'하는 것만큼이나 시대를 역행하는 것처럼 들린다. 책 읽는 사람이 멸종 위기에 있다는 말을 우스갯소리로 하는데, 웃을 일이 아니라 점점 더 피부에 와닿는다. 우리나라만 해도 인구의 반 이상은 1년에 책을 단 한 권도 읽지 않는다. 대부분의 사람들이 얽히고설킨 배경과 이면을 이해하는 데 에너지를 들이고 싶어하지 않다 보니, 정보를 얻을 때도 책을 보는 대신 짧고 명쾌한 카드뉴스나 그냥 바라보면 그만인 유튜브 동영상에 의존하고 있다.

내가 상상하는 책 중심 사회는 책이 의사소통의 핵심 매체가 되는 사회다. 많은 저자들이 '지금, 여기'의 문제에 대해 책을 쓰고, 사람들이 그걸 읽고, 그 책의 의견을 보완하거나 거기에 반박하기 위해 다시 책을 쓰는 사회다. 이 사회에서는 포털뉴스 댓글창, 국민청원 게시판, 트위터, 나무위키가 아니라 책을 통해 의견을 나눈다. 이 사회는 생각이 퍼지는 속도보다는 생각의 깊이와 질을 따진다.

수없이 많은 정보가 쏟아지고 빠른 속도로 퍼져 나가지만, 정보의 질이나 생각의 깊이가 아쉬운 만큼 저자의 말에 더욱 공감하게 된다.

장강명 작가는 또 저자가 더 많아져야 한다고 주장한다. 지난 몇 년 간 베이징에서 'Writers in BJ'라는 글쓰기 모임을 운영해 9기까지 배출했다. 그 모임에서 글벗들의 글쓰기와 출간을 돕고 격려하며 늘 강조하던 내용이 바로 그것이었다. 모든 사람이 전업 작가가 될 필요는 없지만, 많은 사람이 책을 썼으면 좋겠다고. 생애 처음으로 자신이 쓴 글을 묶어 책을 출간해 보면서 많은 이들이 그 과정에서 삶이 180도 달라졌다고 말했다. 글을 쓰면서 자신의 삶과 주변을 다른 시선으로 바라볼 수 있게 된 것이다. 자신의 이야기를 글로 풀어내어 누군가에게 들려주고, 또 그 글을 읽은 누군가가 감동을 받거나 위로를 얻는 상호작용 가운데 삶이 조금씩 바뀌는 것이다. 글을 쓰고 출간하는 모든 과정은 요즘 세상의 속도와는 다르게 아주 천천히 이뤄지지만, 그 과정에서 훨씬 깊이 있는 소통을 경험할 수 있다.

아이슬란드에서는 책을 한 권 이상 출간한 사람이 전체 인구의 10%나 된다고 한다. 책을 내는 것이 특별한 일이 아니라, 마치 인스타를 하듯 누구나 책을 낼 수 있는 세상인 것이다. 바로 그런 세상이 장강명 작가가 이 책에서 꿈꾸는 세계이고, 나 역시 그런 세계를 꿈꾼다.

장강명 작가는 특히 글을 쓰고 싶다거나 책을 내고 싶다는 생각을 한 번 이상 해본 사람, 또는 몇 년 이상 해 본 사람이라면 반드시 글을 쓰고 책을 내야 한다고 말한다. 이런 사람들이 쓰지 않으면 괜히 이미 책을 낸 사람에게 심술부리고, 책에 대해 온갖 쓴소리만 퍼부어 대는 고약한 사람이 되고 만다고.

첫 책을 막 출간했을 때 일이다. 지인이 출간을 축하한다고 말한 뒤, '종이책 읽지 않기 운동'에 동참하고 있다는 말을 이어서 했다. 책을 안 사고 도서관에서 책을 빌려 보기 시작했다는 것이다. 그때까지만 해도 그런가 보다 하고 듣고 있었는데, 다음 말이 나를 아프게 찔렀다.

"요즘 자꾸 사라지는 나무를 생각하면 책을 함부로 만들면 안 되는 거 아닌가 싶어."

막 첫 책을 출간한 사람한테 나무한테 미안해하라며 무안을 준 꼴이었다. 그때 얼마나 속상하고 마음이 상했는지…. 비슷한 일화가 책에 등장한다.

고백하자면 내가 바로 그랬다. 서점 신간 코너에 가면 분노에 휩싸였다. 지인이 책을 냈다고 하면 관심 없는 척하면서 내용을 몰래 살폈다. 그 책에 신통한 데가 없으면 그때서야 겨우 안심했다. 결국 나무의 소중함 운운은 그냥 핑곗거리였다. 내가 제대로 해내지 못할 것 같아 포기한 작가라는 거룩한 영예를, 다른 녀석이 제값을 치르지 않고 길에서 주웠다고 여겨서 부린 트집 잡기였다. 정의감을 닮았지만 실제로는 질투심이다. 그 흉한 감정은 내 책이 나온 뒤에야 겨우 사라졌다.

이 부분을 읽으며 그게 결국 시기였다는 걸 알게 되었다. 혹시라도 주위에 출간하는 것만 보면 분노가 끓어오르는 분이나, 나오는 책마다 비평 거리만 눈에 띄는 분들이 있다면 얼른 자기 책을 쓰기 바란다. 물론 나무는 여전히 소중하니, 우리 모두는 좋은 책을 쓰도록 최선을 다해야겠지만.

송경화 기자의 소설 〈고도일보 송가을인데요〉는 장강명 작가가 꿈꾸는 이상적인 사례 중 하나다. 송경화 작가는 한겨레신문의 15년 차 기자로 기자 경력만으로는 장강명 작가를 넘어선다. 송경화 기자의 첫 소설에 장강명 작가가 추천사를 쓰기도 했다.

장강명 작가는 기자라는 직업을 접고 전업 소설가가 되어 소설을 쓰고 있지만, 송경화 작가는 여전히 현직 기자다. 앞으로 기자 생활을 그만두고 소설만 쓰겠다고 결정할지 알 수 없지만, 현재로서는 '소설을 쓰는 기자'다. 전업 소설가뿐 아니라 이렇게 다른 직업을 가진 사람들이 더 많이 자유롭게 소설을 썼으면 하는 바람이 있다.

장강명의 책 〈당선, 합격, 계급〉에는 우리나라 문단 등단 제도의 문제점이 나온다. 우리나라는 누구나가 소설을 맘껏 쓰고 출간할 수 있는 환경은 아니다. 신춘문예나 문예지를 통해 등단을 해야 '소설가'라는 타이틀과 소설을 쓸 수 있는 자격을 얻을 수 있기 때문이다. 최근에 등단하지 않은 작가들이 낸 소설이 꽤 많이 출간되고 있지만, 그럼에도 문단에서는 소설을 출간한 그들을 절대 '소설가'라고 부르지 않는다는 이야기를 들었다. 등단 작가뿐 아니라 다양한 분야의 사람들이 자유롭게 소설을 쓰고 출간하는 사회를 꿈꾸는 사람으로서, 송경화 기자의 이런 한 걸음이 몹시 소중하게 느껴진다. 다행이랄지 〈고도일보 송가을인데요〉는 출간 전에 이미 드라마화하기로 확정되었다.

〈고도일보 송가을인데요〉는 보통 소설이 가지고 있는 어떤 틀이나 형식을 완벽하게 갖추고 있는 소설은 아니다. 하지만 기자로서 실제 현장에서 직접 보고 취재했던 내용을 바탕으로 하니 모든 일화들이 살아 있다. 이렇게 기자들만이 쓸 수 있는 개성 있는 소설이 있듯이, 각 분야의 사람들이 독특한 시각에서 쓰는 그들만의 소설이 있을 거라 믿는다.

보통 문학만 하다 등단한 소설가의 소설에서는 다양한 직업군의 이야기를 만나기가 쉽지 않다. 가끔 타 직업군을 취재해서 소설을 쓰기도 하지만, 취재가 미흡한 경우가 많다. 그러다 보니 소설에서 가장 많이 등장하는 인물은 작가나, 작가 지망생, 또는 어떤 형태로든 글을 쓰는 사람과 그 언저리에 있는 사람들이다. 그것이 작가가 가장 잘 아는 삶이기 때문이다. 물론 글 쓰는 사람 입장에서 그런 캐릭터를 좋아하고 그들에게 공감도 하지만, 가끔은 범위가 너무 좁은 듯 해 답답함을 느낀다. 소설을 읽는 이유 중 하나가 여행처럼 낯선 세계에 가 보고 나와는 전혀 다른 삶을 경험하기 위함인데, 소설 속 캐릭터의 삶이 실제 내 삶과 별반 다를 바 없다면 아쉬움이 남을 수밖에 없다.

그런 의미에서 문체가 세련되거나 문장이 유려하지 않아도, 현장감 있고 다양한 실제의 삶을 들여다볼 수 있는 송경화 기자의 소설은 분명 매력이 있다.

이 소설은 주인공 송가을 기자가 고도일보에 입사해 경찰팀에서 법조팀으로, 또 탐사보도팀으로 옮기며 취재하는 과정을 담고 있다. 차례도 부서 이동에 따라 1,2,3부로 되어 있다.

"남자 친구 찾으러 왔는데요"는 송가을이 홍등가 취재를 나갔을 때 겪은 에피소드다. 남자라면 손님으로 가장

하면 되지만, 여자인 송가을은 난감할 수밖에 없었다. 그래서 남자 친구 찾으러 왔다고 거짓말을 하며 홍등가 진입을 시도한다. 친구가 남자 친구가 여기 들어가는 걸 봤다고 하면서. 리얼한 연기를 위해 실제 남자 친구 사진을 보여주었다. 위장 진입에 성공해 홍등가 여자와 이야기를 나누는데, 갑자기 사진을 자세히 보던 여자의 증언에 송가을은 엉엉 울며 그곳을 나온다. 당연히 남자친구와는 헤어졌다. 상황이 어이없어 웃었지만, 그런 일이 일어날 가능성이 꽤 높아 보였다. '웃픈' 일이 아닐 수 없다.

중국에 살고 있다 보니, 북한 여공들의 중국 외화벌이 취재 건도 관심 있게 읽었다. 송가을은 연변의 공장을 취재하던 중 북한 여공의 노동력을 사용해 공장을 돌리고 있는 실제 사장이 한국인인 것을 알게 되고 충격을 받는다. 한국 정부 허락 없이 북한과 사업을 하거나 북한 사람들과 접촉하면 국가보안법에 저촉된다. 그걸 아는 한국인 사장은 편법을 쓴다. 중국인을 법인 대표로 서류에 올려 사업자 등록을 받고, 실제로는 한국인이 운영하는 방식으로.

국가보안법만 아니라면 숙련된 솜씨의 북한 노동력을

아주 저렴한 가격에 이용할 수 있으니 한국인이 공장을 열면 돈을 벌 수 있는 좋은 기회가 아닐 수 없다. 남북 모두 윈윈 할 수 있는 좋은 조건이다. 하지만 현실은 개성 공단마저 문을 닫았고, 길은 여전히 막혀 있다. 이렇게 편법으로 몰래 하는 경우만 있을 뿐이다.

〈고도일보 송가을인데요〉는 이런 다양한 에피소드를 모아놓은 단편 모음집 같은 소설이라, 틈틈이 짬 내어 조금씩 읽기에 전혀 부담이 없다.

기자가 쓴 소설뿐 아니라 의사나 버스 기사가 쓴 소설집, 택배 기사가 쓴 시집 등 다양한 분야에서 일하는 사람들의 문학작품을 자주 접할 수 있기를 바란다. 당장은 아니더라도 장강명 작가나 내가 꿈꾸는 책 중심 사회가 올 것을 기대하며, 비등단소설가로서 소설 쓰는 일도 포기하지 말아야겠다.

모든 건 먹는 것에서 시작한다

〈음식과 전쟁〉 - 톰 닐론
〈부엌의 철학〉 - 프란체스카 리고티

    토요일 오후, 갑자기 근처에 사는 분이 티타임에 초대했다. 피곤해서 다음으로 미룰까 하다 멀지 않은 거리라 터벅터벅 집을 나섰다. 꽃이 가득 피어있는 테라스를 지나 거실 테이블에 앉으니, 꽃보다 활짝 핀 웃음이 나를 맞아주었다. 차를 마시며 이야기를 나누다가 초대한 분이 김이 모락모락 나는 접시를 내왔다. 직접 만들어 찐 따끈한 찐빵이 접시에 한가득 담겨 있었다. 뜨거워서 두 손을 번갈아 쥐며 찐빵을 호호 불며 먹었다. 짧은 시간이었지만 오감이 즐거웠다.

    속에 고기나 야채, 단팥 등이 소로 들어간 찐빵을 중국어로는 빠오즈(包子)라고 부른다. 빠오즈는 흔한 음식이지만 내게는 추억의 음식이다. 큰 아이를 가졌을 때 예정

일을 넘겼는데도 아무 소식이 없어, 이제나저제나 아이가 나오기를 기다렸다. 이른 새벽 양수가 터져 병원으로 달려갔다. 출산을 위해서는 힘이 필요하다는데, 너무 이른 시간이라 다른 음식을 구할 수 없었다. 그 새벽 병원 앞에서 먹은 빠오즈의 힘으로 오랜 진통을 견뎠다. 아이가 그다음 날 정오에 태어났으니, 하루 반의 시간을 빠오즈 두 개로 버틴 셈이다. 지인이 건넨 작은 찐빵 하나가 한동안 잊고 있던 추억과 그때의 감정을 되살아나게 했다.

모든 일은 먹는 것에서 시작한다고 해도 과언이 아니다. 음식은 생명과 직결되어 있기 때문이다. 그런가 하면 중요한 일임에도 매일 반복되는 일이다 보니 하찮게 여기거나 아예 의식하지 않는 경우가 많다.

가장 중요하지만 소홀히 여기는 음식에 대해 깊은 관심을 보여주는 책이자 음식에 관한 인문학 책 두 권을 골라 보았다.

〈음식과 전쟁〉의 저자 톰 닐론은 프리랜서 작가로 다양한 매체에 음식에 관한 글을 쓰고 있다. 보스턴에서 파초 서점을 운영하는데, 이 서점은 문학이나 음식에 관한 희귀 고서적이나 절판도서를 판매하는 중고책 서점이다. 닐론은 오래된 요리를 재현하는 일과 서점 일을 결합해 보고자 이 서점을 열었다. 예를 들면, 서점에서 13세기 레시피를 구해 닭 요리를 직접 해 먹어 보는 걸 즐기는 것이다.

음식은 우리 삶에서 가장 중요한 부분임에도 이에 대한 역사 기록이 매우 드물다. 고대 시대의 요리책은 4세기 무렵에 나온 한 권이 유일하다고 하니, 우리 조상들은 매일 음식을 먹으면서도 그 기록에는 지나치게 인색했다.

요즘은 다르다. 인스타를 보면 먹음직스러운 음식 사진들이 넘쳐 난다. 식당에서 음식이 나오면 먹기 전에 포토타임 갖는 걸 당연하게 여길 만큼 일상에서 음식을 기록으로 남기는데 익숙해졌다. 그저 매일 무엇을 먹었는지 기록한 자료가 박물관에 전시되기도 하고, 책으로 묶여 출간되기도 한다. 나 역시 저자가 매일의 점심 식사를 간단한 그림과 함께 기록한 책을 사서 한동안 재미있게 보기도 했다.

기록하는 데 있어서 하찮은 소재라는 건 없다. 이 사실을 오래전 이 세상을 살았던 사람들도 알았더라면 좋았을 텐데. 안타깝게도 음식이 기록에서 누락되다 보니, 음식의 기원에 대한 설명도 역사적 사실보다는 허구나 상상에 가깝다.

예를 들면, 마요네즈는 연회에서 쓰던 걸쭉한 크림을 흉내 내다가 발명되었고, 고기 스튜에 초콜릿을 흘려 넣다가 멕시코 요리인 몰레(mole)가 만들어졌으며, 신선한 치즈가 동굴에 버려졌다가 로크포르(Rouquefort) 치즈가 되었고, 커피콩은 염소가 이것을 먹고 기운차게 노는 것을 본 목동이 찾아냈으며, 나폴레옹 페이스트리는 비프 웰링턴(Beef Wellington: 소고기에 푸아그라와 버섯 페이스트를 바르고 페이스트리 반죽을 입혀 구운 요리)이 더 낫다는 것을 보여주기 위해 만들어졌다는 식이다.

심지어 15, 16세기에 와서도 요리책은 여전히 마법이나 비법 책에 가까웠다. 예를 들면 노스트라다무스의 비법서에는 사랑에 빠질 수밖에 없는 잼과 젤리의 레시피가 등장한다.

예언으로 유명해지기 전에 노스트라다무스는 비법서에 실을 레시피를 수집했는데, 너무 맛있어서 여자가 사랑에 빠질 수밖에 없도록 고안된, 말도 안 되게 복잡하면서도 이국적인 잼을 포함해 잼과 젤리에 관해서만 한 장을 온전히 할애했다. 비법서는 16세기 유럽에서 음식과 약물 중에 무엇이 더 긴급한 문제인지 파악하기 어렵게 할 만큼 인기가 많아서 요리법과 비법이 구분되기까지는 꽤 시간이 걸렸다.

오랜 역사 속에서 요리를 한 사람의 절대다수가 여자였지만, 요리책은 대부분 남자가 썼다. 그러다 보니 수백 년에 걸쳐 다듬어진 다양한 요리법은 저자의 무지와 여성 혐오에 의해 요리책에 제대로 담기지 못했다. 수많은 위대한 요리사와 진미 요리가 역사 속에서 사라지고 만 것이다. 〈음식과 전쟁〉은 음식 역사의 이런 공백을 채우고 잘못된 정보를 어느 정도 바로잡아 주는 역할을 한다.

파리에서 레모네이드는 굉장히 빠른 속도로 퍼져나가 전염병이 도시를 엄습했을 당시에는 거리의 레모네이드 공급업자들이 레모네이드 사업을 장악하고 있었던 듯하다. (…) 레몬 (혹은 다른 감귤류)에 함유된 리모넨(limonen)이라는 성분은 자연 살충제이자 구충제다. 특히 레몬 껍질에 리모넨이 가장 풍부하게 함유되어 있다. 실제로 미국환경보호청이 일반 해충 스프레이나 애완동물에 기생하는

벼룩과 진드기 퇴치제에 들어 있는 열다섯 가지 살충 성
분 가운데 리모넨을 가장 효과적인 성분으로 꼽았을 정도
다. 프랑스인들은 에그르 드 세드르를 만드는데 쓰인 레몬
껍질과 짓이긴 레몬을 '벼룩-시궁쥐-사람-시궁쥐'라는 감
염의 순환 사슬을 깨기 위한 가장 적합한 장소에 내다 버
렸는데, 그곳은 바로 쓰레기장이었다. 이렇게 해서 파리는
비록 우연일지라도 레몬 때문에 전염병으로부터 효과적인
보호를 받았다.

17세기 유럽 전염병으로 영국 전체 인구의 4분의 1,
밀라노 인구의 절반 등 수없이 많은 사람들이 사망했다.
하지만 오직 프랑스의 파리만 기적적으로 아무 탈 없이
대부분 살아남았는데, 저자는 그걸 레모네이드 덕분이라
고 보고 있다. 레모네이드에 들어 있는 구연산이 박테리
아의 성장을 막아주었다는 것이다. 〈음식과 전쟁〉은 음
식에 얽힌 이처럼 재미있는 역사 이야기를 다양한 그림
과 함께 보여준다.

'누구나 가끔은 누군가를 먹는다'라는 챕터는 식인 문
화와 역사를 다룬다. 끔찍한 이야기지만 가장 위대한 도
시 문명 중에도 식인 행위로 유명한 문명이 있다. 바로
16세기 아즈텍 제국. 아즈텍 인들은 소, 돼지, 양, 염소 같

은 초식동물을 전혀 기르지 않았다. 전적으로 옥수수에 식량을 의지하다 보니, 제국이 커지면서 국민 모두를 먹여 살릴 수 없는 식량난을 겪게 된다. 극심한 식량난을 겪으며 부자들이 가난한 사람들을 먹기 시작한 건 불가피한 일이었을까. 어쩌다 보니 사람이 음식 재료가 되어버렸다.

스타덴의 책에는 투피남바족이 일정한 규칙을 정해놓고 사람을 먹는다고 나와 있다. 즉 대부분은 구워서 먹지만, 집안 행사에서는 가끔 끓여서 먹는다는 것이다. 이런 관습은 위대한 프랑스 인류학자인 클로드 레비스트로스의 이론의 주축을 이룬다. 다시 말해 식인종들은 그들이 물리치고 싶은 상대는 굽고, 아끼는 상대는 끓인다. 적에게는 불, 가족에게는 물인 것이다.

그들만의 규칙이 있고 인육 레시피도 다양하게 개발했다고 하지만, 그걸 '문화'라고 부를 수 있을까. 여전히 께름칙하다. 하지만 분명한 건 식인 행위가 야만인에게서만 발견되는 건 아니었다는 사실이다.

여러 세기 동안 우리는 인육을 먹는 일에 흥미를 느끼면서도 반감을 가졌고, 그 어두운 욕망을 다른 집단에 뒤집

어쓰움으로써 그들을 매도하는 동시에 그 행위를 간접적으로 경험했다. 이것이 논리적인 유일한 해결 방법이었다. 어쩌면 디킨스나 19세기 영국인들 중 누군가는 사회적으로 그들에게 허용되지 않는 충동을 만족시키기 위해 (인육을 숨긴 형태의) 인육 파이나 뼛가루로 만든 빵을 먹었을지도 모른다. 그랬을 리 없다고 생각하지만, 혹시나 해서 얼마나 많은 고아가 찰스 디킨스의 동네에서 실종되었는지는 살펴보고 싶다.

혐오하면서도 인간에게는 인육을 먹고 싶어하는 어두운 욕망이 있다는 것이다. 인육을 먹고 싶은 욕망에 시달리는 걸 '영국식 웬디고정신병'이라고 하는데, 톰 닐론은 찰스 디킨스가 그 병을 앓았을 것으로 의심하고 있다. 작품 여기저기에 식인 풍습을 암시한 부분이 있다고 하니, 디킨스의 작품들을 읽을 때 유심히 찾아보기로 하자.

〈음식과 전쟁〉이 음식과 관련한 흥미로운 역사를 다뤘다면, 〈부엌의 철학〉은 음식과 함께 철학을 이야기한다. 요리와 철학이 도대체 무슨 관계가 있을까. 하나는 육체적 욕구를 만족시키기 위한 활동이고, 다른 하나는 정신이 중심이 되는 지적 활동이니 관계가 전혀 없어 보인다. 게다가 철학은 주로 남성이, 요리는 주로 여성이 담당해 왔기에 더욱 이질적인 영역으로 간주되어 왔다.

하지만 철학적 사고에 음식과 관련된 용어들이 등장하는 걸 보면, 이질적으로 보이는 이 두 범주 사이에 분명 어떤 연관성이 있다. 음식 메타포는 철학뿐 아니라 문학이나 신학에서도 많이 발견할 수 있다. 예를 들면 "사람이 빵으로만 살 것이 아니요 하나님의 입으로 나오는 모든 말씀으로 살 것이다" "너희는 세상의 소금이다" 같은 구절을 성경에서 찾아볼 수 있다. 알파벳을 먹어치우기만 하면 아이들이 알파벳을 모두 배울 수 있다는 듯, 어린아이들에게 알파벳 모양의 사탕이나 과자, 빵, 국수 등을 먹이는 것도 음식 메타포를 현실에서 적용한 예라고 할 수 있다.

리고티는 철학과 음식이 모두 '배고픔'이라는 동일한 욕구에 대한 반응이라는 점에서 공통점을 찾았다. 배고픔을 해결하기 위해, 여러 재료를 준비해 썰고 혼합해 끓이거나 볶은 다음 양념을 하는 과정이 요리다. 이 과정에서 모든 재료들이 어우러진 결과물로 나온 것이 음식이고. 리고티는 음식을 요리하는 과정이 철학에서 사상을 전개하는 과정과 유사하다고 했다. 철학적 사고 역시 여러 텍스트와 자료를 모아 분류, 분석, 해체하는 과정에서 궁극적으로는 이전에 알지 못했던 종합의 길로 나아가기 때문이다.

　책을 읽는 것은 음식을 먹는 것이고, 글을 쓰는 것은 요리하는 것이다. 이것은 음식 메타포의 바탕을 이루는 기본 구도다.

편식 없이 어떤 음식이든 가리지 않고 잘 먹는 편이다. 그래서인지 책도 가리지 않고 다양한 장르를 다독한다. 요리하는 걸 어려워해서 요리조리 도망 다니는 편인데, 그래서 글을 쓰는 것도 어렵게 느껴지는 걸까. 좋은 작가가 되기 위해서라도 무조건 도망만 다닐 게 아니라, 맛있고 영양가 높은 음식을 만들기 위해 애써야 할 것 같다. 글을 쓸 때도 무미건조하게 쓰기보다는 단어 하나까지 세심하게 손질하고 발효시켜 쓸 때 좋은 글이 나오는 법이니까. 다시 보니 그 과정이 음식을 요리하는 과정과 정말 닮았다.

리고티는 음식과 철학 모두 균형과 절제에 근거한 다이어트가 중요하다고 강조한다. "종이에 옮기는 생각은 오랫동안 자루 속에 묵혀둔 사과와 같다"는 비트겐슈타인의 말처럼, 많은 경우 먹을 만한 상태로 만들기 위해서는 도려내야 할 부분이 많다.

플라톤에 의하면 웅변가의 수다스럽고 장황한 언변은 식사할 때의 무절제함과 연관되어 있다. 실제로 말의 쾌감과 식사의 쾌감은 죄가 일어나는 절대적인 장소인 입 속에서 이루어진다.

음식은 입으로 들어가고, 말과 글은 입에서 나온다. 그러고 보니 입으로 들어가는 것과 입에서 나오는 것들을 만지작거리며 부엌에서 꽤 많은 시간을 보냈다. 처음 글을 쓰기 시작했을 때, 제대로 된 책상이 없어 식탁 한 귀퉁이에 앉아 글을 쓰곤 했었다. 아이들에게 간식을 먹이며 그 옆에서 노트북을 두드리고, 그렇게 글을 쓰다 때가 되면 일어나 저녁을 짓곤 했다.

부엌의 철학, 부엌의 문학… 아닌 게 아니라 부엌에서는 무엇이든 시작될 수 있다.

다이어트, 우선 속지 말아야!

〈솔직한 식품〉 - 이한승
〈과식의 심리학〉 - 키마 카길

5월만 되어도 완전히 여름이다. 여름이 점점 길어져 4월이면 벌써 집에 있는 에어컨 청소를 시작하고 더위에 대비한다. 여름이 오면 겉옷으로 그동안 잘 감춰둘 수 있던 살을 더 이상 가릴 수 없기에, 그동안 미뤄왔던 다이어트를 다시 고민하지 않을 수 없다. 물론 다이어트는 결코 여름에만 하는 고민은 아니다. 봄, 여름, 가을, 겨울, 1년 365일 계절을 가리지 않고 하는 고민이고, 10대나 20대뿐 아니라 7,80대가 되어서도 예외 없이 하는 고민이다. 다이어트는 그야말로 우리 모두의 영원한 숙제다.

그럼에도 특히 여름이 되면 단기간에 살을 빼야 한다는 조바심이 생긴다. 살을 빨리 쉽게 뺄 수 있는 비법 같은 것에 혹하기 쉽다. 하지만 이미 경험해 봐서 잘 알겠지만, 그런 마법은 없다. 최소한 내 경험에는 없었다. 그럼에도 우리를 유혹하는 정보는 끊임없이 쏟아진다. 수없이 많은 정보들이 현혹하는 현실에서 정보에 좀 더 과학적으로 접근할 필요가 있다.

〈솔직한 식품〉은 다이어트에 관한 책은 아니다. 식품 정보 전반에 관한 책인데, 챕터 하나를 할애해 다이어트를 다루고 있다.

식품에 관한 건강 정보들이 매일 수없이 쏟아져 나오는데, 그중에는 잘못된 정보도 꽤 많다. 〈솔직한 식품〉은 식품에 대한 여러 오해 중 가장 대표적인 6가지 오해에 대해 식품학자로서의 솔직한 의견을 제시한다.

식품에 대한 6가지 오해

1 음식으로 고칠 수 없는 병은 약으로도 고칠 수 없다?
2 전통음식이 한국인의 몸에 알맞은 음식이다?
3 항암물질이 든 식품을 먹으면 암을 예방할 수 있다?

4 발효식품은 건강에 이롭다?

5 천연식품은 안전하고, 인공물질은 위험하다?

6 빨리 먹으면 살찐다?

쏟아지는 식품 관련 정보 중에는 '뭘 먹어야 한다, 먹지 말아야 한다'하는 정보가 특히 많다. 그런데 이런 정보가 과장 또는 축소되거나 일부 정보가 누락되면서 엉뚱한 이야기가 되는 경우가 허다하다. 〈솔직한 식품〉은 그런 정보들을 합리적으로 분별하는 법을 이야기해 준다.

어떤 식품을 가져와도 그 속에 발암물질이 들어 있거나 항암물질이 들어 있다는 것을 입증해 보일 수 있다.

식품 연구자들이 하는 농담 중 하나라고 한다. 세상에는 좋은 물질만 든 식품도 나쁜 물질만 든 식품도 없다는 뜻이다. 식품 속에는 매우 다양한 성분이 있어 항암물질이 들어 있는 식품에 동시에 발암물질이 들어 있을 수도 있다는 것이다. 그런데 우리는 식품 자체를 좋은 식품과 나쁜 식품으로 분류하기를 원하고 그런 정보에 혹한다.

예를 들어 레드와인이 몸에 좋다고 알려져 있지만, 술은 1군 발암 물질에 속한다. 한동안 레드와인이 전립선암을 예방한다는 뉴스를 쉽게 접할 수 있었다. 레드와인에 들어 있는 레스베라트롤을 투여한 생쥐에게서 전립선암 예방효과가 나타난 실험 결과 때문이다. 하지만 생쥐에게 투여한 레스베라트롤의 양은 몸무게 1킬로 당 625mg이었다. 70kg의 성인으로 환산하면 43.75g을 먹인 셈이다. 실험의 생쥐와 같은 효과를 얻으려면 하루에 레드와인을 무려 7,750리터나 마셔야 한다는 얘기인데, 레드와인이 좋다는 정보에 이런 이야기는 쏙 빠져 있다.

이런 환경 속에서는 식품에 관한 건강 정보에 너무 민감하게 반응하는 것보다는 좋아하는 음식을 즐거운 마음으로 골고루, 적당히 먹는 것이 훨씬 더 건강에 좋을지 모른다.

'다이어트는 현대인의 종교'라고 할 만큼, 많은 사람이 다이어트에 집착한다. 2014년 통계에 따르면 다이어트 시장 규모는 약 634조 원, 국내 시장 규모도 2조 원 대다. 그렇다 보니 수많은 다이어트 상품 광고가 건강 정보로 둔갑해 우리를 유혹한다.

식품학자인 저자는 과학적으로 비만은 간단한 문제라고 일축한다. 인풋 대비 아웃풋, 즉 칼로리와 대사량으로 간단히 설명할 수 있다는 것이다. 살을 뺀다는 의미의 다이어트를 위해서는 적게 먹거나, 운동을 해서 대사량을 늘리거나, 근육을 키워 기초대사량을 늘리는 방법밖에 없다고 못을 박는다. 예를 들어 빨리 먹으면 살이 찐다거나, 밤에 먹으면 살이 찐다는 속설도 잘 들여다보면 많이 먹기 때문에 살이 찌는 경우가 대부분이라는 것이다. 고추 속 캡사이신에 지방 분해 성분이 있는데도, 맵게 먹는 사람이 살이 더 찐 경우가 많은 이유 역시 더 많이 먹기 때문이다. 캡사이신에 지방 분해 성분이 있긴 하지만, 매운맛이 식욕을 돋우는 게 문제다.

모건 스펄록 감독의 〈슈퍼사이즈 미〉는 감독이 30일 동안 삼시 세끼를 맥도널드 음식만 먹고 몸에 어떤 변화가 오는지 직접 보여주는 다큐멘터리다. 그 실험으로 감독이 11킬로 넘게 체중이 증가한 데다 각종 건강 관련 수치가 악화됐기 때문에 화제가 됐다. 하지만 다른 사례도 있다는 건 모르는 사람이 많다. 메라브 모건은 맥도널드 음식만 90일을 먹고도 16.7킬로를 뺐고, 쏘쏘 웨일리 역시 30일 동안 맥도널드만 먹고 16.3킬로를 뺐다. 이 외에도 더 많은 비슷한 사례가 있다. 어떻게 이들 모두는 하루 세끼를 맥도널드에서 먹고 상반된 결과를 얻었을까. 답은 바로 먹는 양이 달랐다는 것이다. 살을 뺀 사람들은 맥도널드에서 다양한 메뉴를 골라 하루 2천 kcal 이하를 섭취했다. 하지만 모건 스펄록 감독은 맥도널드에서 하루 5천 kcal를 먹었다. 같은 것을 먹었지만 다른 양으로 먹은 것이다. 아무리 건강한 집밥이라도 하루에 5천 kcal를 30일 동안 먹는다면 당연히 비만이 되고 건강은 악화될 것이다.

저자는 최근에 많은 논쟁이 되고 있는 저탄수화물 다이어트 vs. 저지방 다이어트 논쟁도 의미가 없다고 말한다. 그동안 진행되어 온 실험 결과를 보면 서로 상반된 결과가 나오기도 해, 어느 한쪽의 손을 들어주기에 부족하다는 것이다. 저탄이든 저지방이든 기본적으로 칼로리가 남아돌면 지방으로 바뀌어 저장된다. 저탄이나 저지방이냐 보다는 얼마만큼 먹느냐가 다이어트에 훨씬 더 중요하다는 말이다. 결국 다이어트의 가장 큰 적은 과식이다.

〈과식의 심리학〉은 과식에 얽혀 있는 여러 가지 문제

를 잘 짚어준다. 키마 카길은 〈과식의 심리학〉에서 필요 이상으로 많이 먹는 과식이 단순히 개인만의 문제가 아니라, 소비주의와 물질주의가 만들어낸 더 넓은 사회 문제의 일부라고 지적한다. 〈과식의 심리학〉은 이런 문제의식을 가지고 식품산업과 제약산업이 어떻게 '욕망'을 제조하고 판매하는지 임상심리학과 실존주의심리학 관점에서 분석한 책이다.

다이어트 시장 규모는 어마어마하다. 사람들이 과식을 하면 할수록 새로운 시장이 창출되고 시장 규모가 더 커진다. 과식으로 살이 찐 사람들이 다이어트 산업의 소비자가 되고 또 망가진 건강을 회복하기 위해 비싼 의료산업의 소비자가 되기 때문이다.

우리가 일상에서 먹는 음식을 마약처럼 위험하다고 생각하는 사람은 거의 없을 것이다. 하지만 '음식 중독'은 코카인이나 헤로인 중독과 닮았다. 특히 기호성이 강한 식품의 제조 과정을 보면 코카인이나 헤로인을 정제하는 과정과 무척 비슷하다. 결국 산업식품 제조자는 위험하고 저항하기 힘든 식품을 창조하기 위해 애를 쓰는데, 어찌 보면 그 목적이 '마약상'의 그것과 흡사하다.

식품 산업이 어떻게 과식을 부추기는지, 저자는 6가지로 정리해 보여주고 있다.

첫째, 쾌락을 극대화시킴으로 과식을 부추긴다. 식품 과학자들은 과자, 아이스크림, 치킨너깃, 에너지음료 등의 저항하기 힘든 맛과 촉감을 찾는 일에 몰두하고 있다. 쾌락의 최고점을 자극해 먹는 걸 멈추지 못하게 하려는 것이다.

둘째, 다양성을 강화해 과식을 부추긴다. 사람들은 선택할 음식이 적을수록 덜 먹는다. 이걸 반대로 적용하면, 똑같은 M&M 초콜릿이라도 다양한 색깔로 만들면 사람들이 더 많이 먹는다.

셋째, 편리성을 향상해 과식을 부추긴다. 비만율은 음식 준비 시간과 반비례한다. 음식을 직접 조리해 먹는 사람은 요리를 하지 않는 사람보다 덜 먹는다. 따라서 조리 시간을 계속 단축시킨다면 과식을 유도할 수 있다.

넷째, 건강 후광. 우리는 '순한' '저지방' '무지방'이란 말에 혹한다. 저자는 이런 수식어를 쓰는 식품일수록 오히려 더 조심하라고 경고한다. 가장 어이없는 사례로 '무설탕 곰젤리'를 들었는데, 해로운 인공 감미료 범벅임에도 '무설탕'이라는 이름으로 많은 부모와 아이들을 현혹하기 때문이다.

다섯째, 혼란스러운 영양 정보를 통해 과식을 부추긴다. 예를 들어 우리는 설탕이 없는 식품을 고르려고 애쓴다. 하지만 이미 식품과학자들이 56종이 넘는 다양한 설탕을 만들어 덱스트란, 과즙농축액, 트리클, 맥아당 등의 이름을 붙여 놓았다. 평범한 소비자라면 그런 이름에서 설탕을 알아볼 수 없을 테니 그걸 노리는 것이다.

여섯째, 수분 섭취의 중요성을 강조하며 가당 음료를 판매해 과식을 부추긴다.

우리가 과식하도록 하기 위해 과학자들이 이렇게 열심히 연구를 해대니, 음식을 적게 먹는 진짜 다이어트는 결코 쉽지 않다. 저자는 살을 빼기 위해 가장 중요한 건 설탕을 끊는 일이라고 강조한다. 이미 실험실 쥐들이 코카인이나 심지어 헤로인보다 설탕을 좋아한다는 사실이 밝혀졌다. 중독성 때문에 설탕을 전부 끊기 어렵다면, 우선 가당 음료부터 끊으라고 권한다.

가당 음료 소비가 특히 걱정스러운 이유는 당 같은 탄수화물을 액체 형태로 흡수하면 고체 형태로 흡수할 때보다 포만감을 덜 느껴 자신도 모르게 칼로리를 지나치게 섭취하기 때문이다. 달리 말해 가당 음료를 마시면 더 많이 먹게 되어 체중이 증가한다는 것이다. 게다가 가당 음료의 일상적 섭취는 고혈압과 내장지방 축적, 이상지 질혈증, 간의 새로운 지방산 합성 증가와도 관련이 있다. 주스와 에너지음료, 스포츠음료, 맛 우유, 탄산음료 소비량의 놀랄 만한 증가는 전 세계 사람의 비만을 비롯한 수많은 건강 문제 증가율과 결코 무관하지 않다.

〈솔직한 식품〉과 〈과식의 심리학〉에서 식품학자와 심리학자가 권한 다이어트 방법은 너무 당연하고 단순하다. 적게 먹으라는 것. 유행하는 수많은 다이어트가 처음에 몸무게가 급속히 빠지도록 설계되어 있어 효과가 있다는 착각을 일으킨다. 그런 다이어트 방법들과 경쟁하기에 음식을 적게 먹는 가장 단순한 다이어트는 어쩐지 부족해 보인다. 당연한 방법이지만 공짜라서 가장 좋은 그 방법을 무시해 왔는지도 모르겠다.

사실 다이어트 관련한 책을 골라 읽은 건 최근 살이 붙어 전에 입던 바지가 안 들어가는 걸 발견했기 때문이었다. 〈솔직한 식품〉과 〈과식의 심리학〉을 읽고, 두 책이 말하는 가장 기본적인 다이어트를 실천해 보았다. 하루 세끼를 먹되 양을 조금씩 줄였다. 한꺼번에 너무 많이 줄이면 쉽게 포기할 것 같아 밥을 반쯤 덜어내는 식으로 먹는 양을 줄였다. 단 음료는 아예 마시지 않았다. 그리고 운동량을 늘리기 위해 유튜브에서 '홈트' 비디오를 찾아 하루 30분 정도 따라 했다. 걸음수를 세 주는 앱을 열고 하루 평균 최소 5천 보를 채우도록 노력했다. 이렇게 인풋을 좀 줄이고 아웃풋을 늘리는 걸로 일주일 동안 1킬로 정도 체중을 줄일 수 있었고, 몸이 좀 가벼워졌다. 가장 기본적인 다이어트 방법이 실제로 효과도 있었다.

다이어트뿐 아니라 어떤 목표든 너무 거창하게 세우면 포기하기 쉽다. 조금씩, 천천히, 신중히 나아가는 게 필요하다. 한 번에 하나씩 습관이 될 때까지 집중한 뒤 다음 행동으로 넘어가는 게 좋다. 며칠 금식을 하겠다는 실현 불가능한 계획을 세우는 것보다 밥을 반 공기 덜어내고 먹는다든지, 바닐라 라테 대신 설탕 넣지 않은 라테를 마시겠다는 계획이 더 낫다는 말이다. 무엇보다 가당 음료 마니아라면 다시 한번 고민해 보시길!

당신의 방을 보여주세요

〈방의 역사〉 - 미셸 페로
〈글쓰는 여자의 공간〉 - 타니아 슐리

노숙자가 아닌 이상 우리는 어떤 형태든 방이라는 공간에 매일 들어간다. 방에서 얼마나 시간을 보내는지, 또 무엇을 하는지는 사람마다 다르겠지만. 방은 어떤 일이든 일어날 수 있는 삶의 공간이다. 방은 태어나서 죽을 때까지 인간 존재의 무대가 된다. 잠, 휴식, 출생, 욕망, 사랑, 사색, 독서, 글쓰기, 자아 추구, 신과의 만남, 은둔, 병 등 인생의 거의 모든 일이 방에서 일어난다. 방에 여러 사람이 모이는 일도 있지만, 대개의 경우 방은 은밀하고 사적인 공간이다.

요즘은 1인 가구 비중이 많아져 방 자체가 집의 역할을 하기도 한다. 코로나 19의 영향으로 방에서 보내는 평균 시간도 예전보다 길어졌을 것이다.

나 역시 방에서 가장 많은 시간을 보낸다. 처음에는 침실에서, 다음은 부엌 식탁에서 글을 쓰다 지금은 책장으로 둘러싸인 작은 서재에서 글을 쓴다.

미셸 페로의 〈방의 역사〉는 750 페이지짜리 벽돌 책이다. 이런 벽돌 책을 누워서 읽는 건 상당히 위험하다. 읽다가 떨어뜨려 얼굴이 깨질 위험도 있고, 무거운 책을 들고 읽다 '엘보(팔꿈치 통증)'가 올 수 있기 때문이다. 그럼에도 남의 방을 슬쩍 들여다보듯 흥미진진해서 두꺼운 책을 금세 읽을 수 있었다. 그것도 대부분은 침실에서….

미셸 페로는 프랑스인으로 여성사 연구로 유명한 사학자다. 여성사뿐 아니라, 노동사와 사생활의 역사, 감옥의 역사 등 오랫동안 어둠 속에 파묻혀온 존재의 역사를 연구해 생생하게 재현해 왔다. 인생의 절반 이상을 보내는 침실을 파고드는 사생활의 역사, 도시에서 방을 얻으려고 아등바등하는 노동자들과 숙소의 사회사, 자신만의 방을 추구하는 여성들의 역사, 독방이 양쪽으로 늘어선 감옥의 역사, 물체와 이미지 수집과 장식의 변화를 통해 그 속에 공존하는 시간의 변화를 해독하는 미각과 색깔의 미학사 등 〈방의 역사〉에는 저자가 그동안 연구해 온 내용이 고루 담겨 있다. 수많은 이야기와 추억거리로 가득한 공간인 방을 소재로 다양한 역사를 담았다.

〈방의 역사〉는 왕의 침실부터, 부부 침실, 사적인 방, 어린이 방, 여인들의 방, 호텔 방, 노동자의 방, 임종과 병자의 방, 그리고 닫힌 방 등 다양한 방에 담긴 역사 이야기를 담았는데, 방을 그린 여러 회화 작품들을 함께 감상하며 읽을 수 있다.

중국에서 18년째 살고 있다. 보통 한국에 1년에 한 번 정도 들어가 일주일 정도 보내는 게 고작이었는데, 2020년에 코로나 19를 피해 잠깐 한국에 들어갔다 발이 묶이는 바람에 7개월 정도를 머물게 되었다. 그때 작은 스튜디오, 말하자면 방 하나에서 네 식구가 하루 종일 함께 생활을 했다. 자고, 먹고, 온라인 수업을 하거나 재택근무를 하고, 책을 읽고 글을 쓰는 등 모든 삶이 그 좁은 방에서 이뤄졌다. 좁고 불편하긴 했지만, 안전하게 식구들이 머물 수 있는 방이 있다는 게 감사했다. 하지만 사춘기에 막 들어간 아이에게는 마냥 감사할 수만은 없는 상황이었다. 어느 밤 아이가 심장박동이 미친 듯 빨라져 응급실에 실려 갔다. 두어 달 병원에 다니며 온갖 검사를 한 후 결국 심리적인 원인 때문인 것으로 드러났다. 사적인 공간이 전혀 없는 그 생활이 아이에게 트라우마가 되었던 것이다. 그 일을 통해 혼자만의 시간과 공간을 가질 수 없다는 것이 얼마나 큰 결핍인지 새삼 깨달았다.

자신만의 공간을 갖고 싶어하는 욕망은 상당히 보편적이다. 특별한 누군가의 일만은 아니다. 잠, 성, 사랑, 병, 생리 현상뿐 아니라 기도하고 명상하고 읽고 쓰고자 하는 영혼의 욕구도 은둔을 부추긴다.

침대에서의 독서는 자기중심적이며 부동의 행위이고 사회적 관례에서 자유로우며 이 세상으로부터 스스로를 감추는 행위다. 그러한 행위는 침대 시트 사이에서, 특히 사치와 그리 바람직하지 않은 나태함의 영역에서 이루어지기 때문에 약간 금지된 것들에 대한 유혹을 느끼게 한다.

독서 역시 어떤 의미에서는 은밀한 행위이기에 침실과 잘 어울린다. 19세기에는 성직자와 도덕주의자들이 독서에 대한 여성의 욕망을 불안하게 여겼다. 여인들이 소설 읽기로 시간을 보내는 게 신경과 상상력에 안 좋은 영향을 미칠까 염려한 것이다. 슈테판 볼만의 〈책 읽는 여자는 위험하다〉라는 책 제목에서 나타나듯, 책 읽는 여자가 위험스러운 존재로 여겨졌다. 그렇기에 여성들에게 독서는 그만큼 더 비밀스러운 즐거움이 되었을 것이다. 한동안 '책 읽는 여자'가 에로티시즘을 연상시키는 회화의 인기 주제가 되기도 했다. 슈테판 볼만의 책에도 책 읽는 여자를 모델로 그린 수십 장의 회화 작품이 실려 있다.

여성의 독서에 제약을 가한 걸 보면 여성의 글쓰기는 훨씬 더 상황이 어려웠으리라 짐작할 수 있다. 1982년 조사에서도 여성 작가 대부분이 침대에서 글을 쓴다고 할 정도로 여성은 글을 쓸 만한 제대로 된 사적 공간을 확보하는 것조차 어려웠다. 많은 여성에게 침대는 잠만 자는 공간이 아니라, 읽고 쓰며 사색을 하는 장소가 되어 왔다. 특히 여행 중 쓰는 여행기나 묵상록, 자서전, 편지 등은 대부분 침실에서 쓰였다.

꼭 여성이 아니라도 글을 쓰는 사람이라면 대부분 '은둔'을 중요한 조건으로 꼽는다. 카프카는 "글을 쓰는 것은 정상에서 벗어날 때까지 마음을 여는 것을 의미합니다. (…) 글을 쓸 때 결코 충분할 정도로 외로운 적이 없는 것은 바로 그 때문입니다."라고 말했다. 혼자 있어도 외로움이 충분하지 않을 정도로 글 쓰는 데 고독의 시간이 꼭 필요하다는 것이다. 사르트르처럼 부르주아적 안락함의 상징인 침실을 거부하고 카페에서 글 쓰는 걸 선호하는 작가도 있다. 요즘에는 카페에서 글 쓰는 작가를 꽤 많이 볼 수 있는데, 아무리 시끄러운 카페에 앉아 있다 해도 작가는 결국 홀로 글을 쓴다. 수많은 사람들 속에 머물지만 익명성이라는 옷을 입고, 소음이라는 벽을 친 채 결국 홀로 쓰는 것이다.

사르트르와 계약결혼 관계에 있던 시몬 드 보부아르도 처음에는 사르트르처럼 카페에 앉아 책을 쓰고 친구를 만났다. 물론 독일군이 파리를 점령했던 시절이라 카페가 집보다 난방 시설이 좋았던 이유도 있다. 보부아르는 일생 동안 일체의 가정사를 거부한 여성으로, 요리를 비롯한 어떤 살림살이도 하지 않았다. 가사야말로 여자의 자유와 삶, 글쓰기를 방해하는 덫이라고 여긴 것이다. 파리에 가면 많은 사람들이 '플로르'에 들르는데, 사르트르와 보부아르가 즐겨 찾던 카페이기 때문이다. 보부아르는 1945년부터는 플로르에서 글 쓰는 데 질린 건지, 루이지안 호텔에 머물며 글을 썼다. 혼잡한 카페를 떠나 호텔 방에서 창조적 고독을 온전히 누리게 된 것이다.

〈글쓰는 여자의 공간〉은 보부아르 외에도 다양한 여성 작가들이 글을 썼던 공간을 소개한다. 말하자면 여성 작가의 집필실을 보여줄 목적으로 쓴 책이다. 집필실을 보여주기 위해 책을 쓰기 시작했지만, 저자는 여성 작가에게는 집필실이 없는 경우가 많다는 걸 발견했다.

많은 여성 작가들은 카페나 도서관 같은 공공장소에서 글을 써야 했다. 글을 쓸 장소가 집에 없었거나 난방 시설이 열악했거나, 이래저래 여건이 안 되었기 때문이다. 오늘날 영국에서 가장 많은 돈을 버는 여성 중 한 사람인 조앤 K. 롤링도, 그 유명한 시몬 드 보부아르도 그랬다. 반면 노벨문학상 수상자인 토니 모리슨은 식기와 빵 조각이 어질러진 부엌 식탁에서 글을 썼다. 중국 작가 장지에는 화장실 변기 위에 널판때기를 올려놓고 앉아 6백 쪽에 달하는 장편 소설을 썼다.

버지니아 울프는 〈자기만의 방〉에서 '여성이 픽션을 쓰려면 돈과 자기만의 방이 있어야 한다'고 했다. 글을 쓰기 위해서는 경제적인 독립과 시공간의 독립이 필요하다는 얘기다. 하지만 실제로 많은 여성 작가들이 그렇지 못한 열악한 환경에서 글을 썼다. 심지어 그 주장을 했던 버지니아 울프도 정원의 낡은 헛간을 서재로 꾸며 써야 했는데, 그곳은 결코 글쓰기에 이상적인 공간은 아니었다. 남편이 바로 위층 창고에서 사과를 고르고, 강아지가 옆에서 할퀴거나 몸을 비벼대고, 겨울에는 너무 추웠기 때문이다. 그렇게 열악한 공간이었음에도 서재는 울프에게 천국이자 낙원이었다.

여성은 이렇게 '자기만의 방'을 갖기도 어려웠지만, 자기 시간의 확보도 쉽지 않았다. 〈재즈〉로 흑인 여성 최초로 노벨문학상을 수상하고, 〈빌러비드〉로 퓰리처상을 받았던 토니 모리슨은 새벽 4시에 일어나 글을 썼다. 처음 글을 쓰던 시절 두 아들이 어려서 방해받지 않고 글을 쓰려면 새벽 시간밖에 없었던 것이다. 새벽에 글 쓰는 습관이 혼자 살게 되었을 때도 지속되어, 새벽 해뜨기 전이 생각하기에 가장 좋은 시간으로 자리매김한 것이다. 내가 새벽 3시에 일어나 글을 쓰기 시작한 것도 같은 이유라 반가웠지만, 토니 모리슨보다 훨씬 늦게 태어났음에도 비슷한 처지라는 사실이 좀 씁쓸했다.

아이들이 어려서 글을 쓸 시간이 없다고 말하는 사람들이 있어요. 하지만 저는 그런 사람들과는 정반대입니다. 전 아이들이 태어나기 전에는 글을 전혀 쓰지 않았어요.

토니 모리슨은 열악한 환경을 탓하기보다는 그 안에서 다채로운 글감을 찾아내고 어떻게든 자기 시간을 확보해 글을 썼다. 그의 말대로 아이들이 태어나면 글을 쓸 수 있는 시간은 줄어들지만, 쓸 거리가 더 많아지고 생각이 다채롭고 깊어지는 건 사실이다.

그렇다면 어떤 조건이 글쓰기에 가장 좋은 조건일까. 이 질문은 나를 포함해 글을 쓰는 누구나가 궁금해하는 질문이지만 정답이 있는 건 아니다. 작가마다 서로 다른 조건을 선호할 뿐. 그럼에도 다양한 작가들이 글을 쓰는 시간과 공간을 들여다보고, 내게 맞는 스타일을 찾아보는 건 의미 있다.

내 경우 카페 같은 공공장소에서는 두 시간 이상 글을 쓰는 게 어렵다. 우습게도 노트북을 놔두고 화장실에 다녀오는 일이 몹시 불안하고 불편하게 느껴지기 때문이다. 글 쓰는 시간은 여전히 식구들이 일어나기 전 새벽 시간을 선호한다. 처음에는 남편이 자고 있는 침대 옆에서 스탠드 하나 켜고 글을 쓰다 낮에는 식탁에서 주로 글을 썼다. 몇 년 뒤 작지만 혼자만의 집필실을 얻자, 오히려 글이 잘 안 써지는 걸 경험하기도 했다. 모든 것을 갖추고 난 후 못 쓰는 건 전적으로 내 능력 탓인 것 같아 부담이 컸던 모양이다. 열악한 환경에서 글을 쓰고 있다는 핑계가 오히려 부담과 스트레스를 줄여주었던 것 같다. 최근에 글이 가장 잘 써지는 공간은 여행 중 머무는 숙소다. 좀 불편하기는 해도 낯선 공간이 다양한 생각을 할 수 있도록 자극하기 때문이다. 한 번은 가족이랑 여행하던 중 새벽에 방에 불을 켤 수 없어 변기에 앉아 써본 적도 있다.

글쓰기에 가장 좋은 공간에 정답은 없겠지만, 글을 쓰기 위해서 혼자 있을 수 있는 시간과 공간의 확보는 필요하다. 〈글쓰는 여자의 공간〉을 읽으면서, 자기만의 방이 있으면 있는 대로, 없으면 없는 대로 감사하게 되었다. 많은 선배 작가들이 침대와 부엌, 세탁실 같은 데서 왕성하게 글을 쓰고 또 훌륭한 작품을 남겼다는 걸 알게 되었기 때문이다.

매일 들어가 머무는 방. 그동안 주의 깊게 보지 않았다면 이제부터라도 그 속에 담긴 이야기에 좀 더 귀 기울여볼 수 있기를….

여자에게 어울리지 않는 일?

〈연과 실〉 - 앨리스 매티슨
〈여자에게 어울리지 않는 직업〉 - P. D. 제임스
〈딸은 딸이다〉 - 애거사 크리스티

얼마 전 정한아 작가의 〈술과 바닐라〉라는 단편집을 읽었는데, 첫 느낌이 '작가가 변했다'였다. 예전 소설은 기발하고 발랄했던 걸로 기억하는데, 〈술과 바닐라〉는 무거워서 흠칫 놀랐다. 게다가 소설 속 주인공이 대부분 일을 하는 엄마로 한정되어 있었다. 소설집 뒤에 실린 염승숙 작가와의 대담을 보고 의문이 풀렸다. 작가가 그 사이 두 아이의 엄마가 되었던 것이다. 육아 때문에 시간이 없고 자유도 누릴 수 없는 상황에서 글을 쓰기 위해 얼마나 분투했을지 고스란히 느낄 수 있었다.

예전에 비해 많이 나아졌다고는 해도 여전히 많은 여성 작가들이 열악한 상황에서 글을 쓰고 있다. 지금도 여전히 분투하고 있을 글 쓰는 여성들을 응원하기 위해, '여자에게 어울리지 않는 일'이라 여겨지는 일들을 멋지게 해낸 선배 작가들의 책을 소개하려고 한다.

앨리스 매티슨은 미국의 소설가로 문예창작을 오랫동안 가르쳐 온 작가다. 〈연과 실〉을 읽고, 매티슨의 소설을 읽어 보고 싶었지만 아쉽게도 아직 한국어로 번역된 소설을 찾지 못했다. 〈연과 실〉은 여러 장르 중 특히 소설을 쓰는 사람을 위한 책이며, 막 쓰기 시작한 사람이 아니라 이미 여러 번 써보고 좌절도 해본 사람을 위한 책이다. 그중에서도 일상, 의무, 방해, 의심 등으로 글 쓰는 데 어려움을 겪고 있는 여성들이 저자가 원하는 타깃이다. 물론 꼭 성별이 여자가 아니어도 글 쓸 여유가 없고 방해를 많이 받는 사람이라면 타깃이 될 수 있다고 괄호 안에 설명을 붙여 두었다.

내 책은 그의 아내, 부엌 서랍 속 행주 밑에 가능성 넘치는 원고를 항상 숨겨 두는 그녀를 위한 것이다. 즉, 나는 내 책을 읽는 독자가 글쓰기를 일상생활의 틈새에, 늘 그렇듯 속박과 의무, 방해, 의심, 고난이 존재하는 일상에 끼워 넣는다고 가정한다.

매티슨 역시 하버드에서 문학 박사 학위까지 받았음에도 결혼해서 아기를 낳고 키우는 동안 도무지 글을 쓸수 있는 시간도 여유도 없었다. 첫아기가 4개월쯤 되었을 때는 아기 때문에 세탁조차 할 수 없었다. 세탁실이 지하에 있는데, 세탁하러 내려갔다 혹시 아기 울음소리를 못들을까 봐 겁이 났던 것이다. 결국 일주일에 두어 번 아기를 돌봐 줄 보모를 쓰기 시작했다. 보모가 아기를 봐주는 사이 지하실에 내려가 세탁을 하면서 그 사이사이 겨우 글을 썼다. 매티슨은 그때를 회상하며 글을 쓰기 위해서는 이기적이 될 필요가 있다고 강조한다. 그런데 아기 때문에 세탁조차 할 수 없는 상황에서 일주일에 몇 시간 남의 도움을 받는 것이 정말 이기적인 것일까 반문하지 않을 수 없다.

사실 매티슨뿐 아니라 많은 여성들이 가사와 육아로 바쁜 가운데 글을 쓰고 싶다는 마음을 갖는 것조차 '이기적'이라고 생각하며 자책한다. 어떤 사정이 생기고 환경이 어려워지면, 글쓰기처럼 자신이 좋아하는 걸 먼저 포기하는 할머니와 어머니를 보고 자란 세대라면 더욱 그럴 것이다. 주변에서 어떻게 가족을 나 몰라라 할 수 있냐고 비난의 말을 던지기도 할 것이다. 하지만 같은 상황에서 남자라면 어떤 생각을 할까.

늘 그렇듯 여성 작가는 어머니가 아프면 글쓰기를 그만 두고 어머니를 돌봐야 한다고 생각하지만, 남성 작가는 어머니가 아프면 더 열심히 노력해서 글을 팔아 어머니의 약값을 벌어야 한다고 생각한다.

글을 쓰고 싶다면, 글 쓰는 시간을 사수하는 것이 최우선 과제다. 어느 정도는 이기적으로 굴 각오도 해야 한다. 아무리 시간이 없어도 글쓰기에 시간을 낭비할 용기가 필요하다.

연과 실은 글쓰기에 필요한 두 가지를 상징한다. 하고 싶은 말을 방종하게 내뱉고 풍부한 상상력을 발휘하는 건 마치 바람을 타고 날아가는 연과 같다. 그 연이 너무 멀리 날아가지 않도록 꼭 붙들어 주는 실의 역할을 하는 건 상식과 논리, 글쓰기 규칙 같은 것들이다.

연을 날리기 위해 서 있는 내 모습을 상상해 본다. 바람이 불어오는 데도 실을 과감하게 풀지 못하고 꼭 붙든 채 쩔쩔매고 있는 모습이 보인다. 외부의 억압이나 자기 검열에 지레 겁먹고 하고 싶은 말을 다 하지 못하는 것이다. 반대로 실을 붙들지 않고 그냥 바람에만 맡겨버린다면, 그 연은 사라져 버리고 영영 다시 찾지 못할 것이다.

매티슨은 바람이 세게 부는 날 연을 맘껏 날려 보라고 격려해 준다. 자유롭게 하고 싶은 말을 하고 상상의 나래를 맘껏 펼쳐 보라고. 실을 묶어 놓았기에 연을 잃어버릴 염려도 없다. 튼튼한 실 덕분에 더욱 자유롭게 연을 날릴 수 있는 것이다. 초고를 쓸 때는 연을 맘껏 바람에 띄우는 기분으로 쓰고, 퇴고할 때는 높이 올라간 연을 실로 적당히 잡아당겨 조율해주면 좋을 것 같다.

소녀가 자라서 여인이 되고 행동을 통해 다른 사람들에게 영향을 끼치는 문학작품은 더욱 찾기 힘들다. 물론 젊고 강력한 여성에 대한 환상소설이나 여성 탐정이 등장하는 탐정소설도 있다. 장르소설을 읽고 싶다면 그것도 나쁘지 않지만 장르소설의 특징 때문에 비극의 가능성을 가진 인물 탐구는 될 수 없다.

예전에 비해 다양해지기는 했어도 소설 속 여성의 직업은 남성 캐릭터에 비해서는 여전히 한정적이다. 그중에도 일에 열정적인 캐릭터는 훨씬 적다. 매티슨의 바람처럼 소설 속에서 여성 캐릭터들이 훨씬 다양한 역할을 맡고, 각 분야에서 적극적으로 일하는 모습을 볼 수 있기를 바란다.

여자에게 어울리지 않는 직업으로 여겨지는 일 중 하나가 탐정사무소의 대표가 아닐까. P. D. 제임스의 소설 〈여자에게 어울리지 않는 직업〉은 20대 여성 코델리아가 탐정사무소의 대표가 되면서 이야기가 시작된다. 〈연과실〉에서 매티슨은 〈여자에게 어울리지 않는 직업〉에서 여주인공이 감정적으로 복잡하거나 뭔가를 배우고 성장하는 모습이 보이지 않아 아쉽다고 평하고 있지만, 최소한 이 소설은 연애나 결혼 이야기로 빠지지 않고 탐정이라는 직업 세계에서 열정을 다하는 주인공의 모습을 보여 준다.

〈여자에게 어울리지 않는 직업〉은 1973년 미국 추리작가협회 최고작품상을 수상했고, 8,90년대에 영화 및 TV 시리즈로 거듭 만들어졌다. 이 소설이 출간된 1970년대 초반까지만 해도 추리소설에서 여성은 범죄의 대상이나 심약한 주변 인물, 주인공의 보조 역할에 머물렀었다. 주인공 코델리아 그레이는 당당히 실력으로 사건을 해결하는 여자 탐정의 이상적인 모델을 정립했다는 평을 받았다. 앨리스 매티슨이 아쉬움을 표하긴 했지만, 이 정도 성과만으로도 사실 당시 여성 탐정을 모델로 한 장르소설로는 상당히 큰 역할을 한 셈이다.

사실 코델리아는 동업자 버니가 갑자기 죽는 바람에 사설탐정 사무소의 대표직을 맡게 된다. 동업자의 죽음 같은 뜻밖의 사건이 아니고는 여자 탐정사무소 대표가 탄생하기 어려운 현실을 잘 보여주는 것이다. 사건 의뢰도 코델리아가 아니라 버니에게 들어온 걸 대신 맡게 된다.

　케임브리지 대학교를 중퇴한 잘생긴 청년 마크가 입술에 희미한 립스틱 자국을 남긴 채 목을 매 숨진 상태로 발견되었다. 공식 평결은 자살로 이미 결론 내렸지만, 그 아버지가 사설탐정을 고용해 아들을 자살로 몰고 간 원인을 찾아달라고 의뢰한 것이다. 아무도 기대하지 않았지만 결국 코델리아가 이 사건이 자살이 아니라는 것과 그 뒤에 숨겨진 은밀하고 수치스러운 죄악과 범죄를 밝혀낸다.

　나는 용감하고 영리한 젊은 여주인공이 삶의 어려움에 직면했을 때, 다들 해낼 수 없을 거라고 생각하는 일에서 기필코 성공을 거두는 이야기를 쓰고 싶었다.

　(P. D. 제임스)

P. D. 제임스는 용감하고 영리한 코델리아를 통해 이 바람을 이뤘다. 여성 탐정이 거의 없던 시절, 코델리아는 주위 사람들로부터 여자에게 어울리지 않는 일이니 그만두라는 충고를 계속 듣는다. 하지만 그는 그런 사회적 인식을 뚫고 자신의 일을 성실하고 끈질기게 해 나간다.

탐정 일은 정말 여자에게 어울리지 않는 걸까. 이에 대한 저자의 생각을 소설 속 등장인물의 입을 통해 들을 수 있다.

전혀 아니에요. 완전히 어울린다고 생각했죠. 제 생각에 이 직업은 무한한 호기심과 무한한 고통과 다른 사람 일에 끼어들기 좋아하는 성격이 필요하니까요.

(P. D. 제임스 〈여자에게 어울리지 않는 직업〉 중)

추리소설 쓰기 역시 여자에게 어울리지 않는다고 여겨지는 일 중 하나다. 영국의 대표적인 여성 추리소설 작가로 P. D. 제임스와 나란히 손꼽히는 작가가 바로 애거사 크리스티다. '추리소설의 여왕'이라는 별명을 가진 그는 미스 마플이라는 캐릭터로 유명하다.

애거사 크리스티는 추리소설 작가로 알려져 있지만,

다른 장르의 소설을 쓰기도 했다. 80여 편의 추리소설을 통해 다 풀어내지 못한 이야기를 다른 목소리로 풀어내고 싶었던 걸까. 그는 메리 웨스트매콧이라는 필명으로 6편의 여성 심리 소설을 썼다. 다행이라고 해야 할까. 한국에서는 메리 웨스트매콧이라는 필명 대신 애거사 크리스티의 이름으로 출간되어 〈딸은 딸이다〉를 읽어 볼 수 있었다. 웨스트매콧이라는 낯선 이름으로 나왔다면 어쩌면 만나지 못했을지도 모른다.

혈연관계 중 가장 복잡 미묘한 관계가 엄마와 딸 사이가 아닐까. 〈딸은 딸이다〉는 바로 그 미묘한 심리를 잘 묘사한 소설이다. 딸의 엄마는 되어 보지 못했지만, 엄마의 딸로 살아온 평생을 돌아볼 때, 가장 다양한 감정의 결이 일어나는 관계가 모녀간이 아닐까 싶다. 엄마와 딸은 혈연간의 본능적 사랑 외에도 같은 여성으로서의 공감과 연대를 느끼는가 하면, 때로는 서로를 너무 잘 알기 때문에 자기혐오의 감정이 덧씌워져 혐오감을 느끼기도 한다.

나는 내가 뭔가를 성취했을 때 엄마가 잘했다고 칭찬하거나 기쁘다고 말하는 대신 "좋겠다"나 "부럽다"라고 말할 때, 막막해진다. 그때마다 어떻게 반응해야 할지 도무지 모르겠다. 그런 말을 들으면 엄마가 갑자기 나와 전혀 관계없는 '어떤 여자'가 된 듯 거리감이 느껴진다. 내가 아들이었다면 엄마는 그렇게 말하지 않을 것이다. 그어떤 관계보다 모녀간은 상대에게 감정이입을 많이 하기에, 그런 묘한 감정 반응이 나올 때가 종종 있다.

아들은 아내를 얻을 때까지만 아들이지만 딸은 영원히 딸이다.

책 뒤표지에 있는 문구처럼, 비록 가끔 애증이 되기도 하지만 엄마와 딸의 관계는 모자나 부녀간보다 훨씬 더 끈끈하고 생명력이 길다.

〈딸은 딸이다〉에는 자기 연민에 빠진 엄마와 모정 그 자체를 의심하게 된 딸이 등장한다. 젊어서 남편과 사별한 40대 앤은 딸 세라를 키우며 살아간다. 세라가 여행을 떠난 사이 리처드를 만나 사랑에 빠지게 되지만, 재혼하겠다는 말에 세라가 맹렬히 반대하자 고민이 시작된다. '남자냐 딸이냐' 선택의 기로에서 앤은 결국 딸을 위해 희생하며 재혼을 포기한다. 그 후 앤의 삶은 예전으로 돌아가지 못하고 황폐해진다. 딸 세라 역시 불행한 결혼 생

활을 하게 되는데, 마지막 3부에 가서 두 모녀가 서로를
향해 던지는 말은 소름이 돋을 정도다.

"위선 떨지 마요. 엄마는 내가 불행해지기를 바랐어요.
왜요. 왜 그랬죠?"
"난 널 위해 모든 걸 포기했어. 그런데 넌 그걸 기억조차
못 하지…."

엄마와 딸, 분명 누구보다 서로를 사랑하기에 희생도
마다하지 않았는데, 왜 희생이 모두를 불행에 빠뜨리는
걸까?

"희생이 어려운 건 일단 시작되면 한 번으로 끝나지 않는
다는 거야!"

희생이라는 우리의 선택은 절대 그 한 번으로 끝나지
않는다. 그 때문에 희생은 삶을 복잡하게 만든다. 톱니바
퀴처럼 맞물린 다음 선택에서 또 희생을 하게 되고, 자꾸
원하는 것을 포기해야 할 때 지극한 사랑도 원망으로 바
뀌기 쉽다. 분명 딸을 사랑해서 한 선택이었는데, 그 선택
으로 딸을 미워하는 지경에까지 이르기도 하는 것이다.
딸 역시 엄마의 불행을 보고, 비록 의식하지는 못했다 하

더라도 스스로를 벌주듯 불행한 결혼을 선택한다.

〈딸은 딸이다〉는 많은 엄마와 딸이 쉽게 공감할 수 있음에도 죄책감 때문에 드러내기는 쉽지 않은 심리를 잘 그려냈다. 추리소설과는 전혀 다른 스타일의 소설을 다른 필명으로 멋지게 써낼 수 있는 작가의 역량에 놀랐다. 만약 이 소설을 메리 웨스트매콧이라는 이름으로 읽었다면 애거사 크리스티의 글이라는 걸 과연 알아챌 수 있었을까.

　"쓰고 싶지 않을 때에도 글을 써라. 쓰고 있는 글이 마음
　에 들지 않을 때에도, 별로인 글만 쓰게 될 때에도."

글쓰기에 대한 애거사 크리스티의 조언이다. 글은 쓰고 싶지만 여전히 방해도 많고 상황은 녹록지 않다. 그럼에도 여자에게 어울리지 않는다고 여겨지던 일들을 잘 해낸 선배 작가들을 기억하며 용기를 내본다. 쓰고 있는 글이 마음에 들지 않고 별로라고 생각할 때조차 자가 검열을 멈추고 쓰자. 실로 연을 단단히 묶어놓고 풀어주지 않는다면 연은 절대 날아오르지 못할 테니까. 바람 부는 날, 튼튼한 실을 한번 믿어 보자. 연이 맘껏 날아오르도록

놓아주자.

'사람'을 보아 주세요

〈공감은 지능이다〉 - 자밀 자키
〈뭐든 다 배달합니다〉 - 김하영
〈까대기〉 - 이종철

팬데믹 상황에서 사회적 거리 두기를 함으로써 서로에 대한 공감이 떨어졌다는 이야기를 많이 듣는다. 아무래도 직접 얼굴을 마주 대할 일이 줄고 거의 모든 관계가 화면이나 시스템 상에서 이뤄지니 당연한 결과일지 모른다. 심지어 팬데믹을 통과하면서 공감을 완전히 상실해 타자에 대한 둔감함이 굳은살처럼 박일 거라는 주장도 있었다. 그런가 하면 반대로 이런 시기에 친절함이 오히려 유행처럼 퍼질 거라고 말하는 이도 있다.

비록 미래에 대한 예측은 다르지만, 공감 자체의 중요성에 대해서는 모두가 공감하는 듯하다. '공감'이라는 키워드를 가지고 세 권의 책을 골라 보았다. 심리학, 만화,

사회과학 등 분야는 다르지만 세 권 모두 공감에 대해 생각해 볼 수 있는 책이다.

자밀 자키는 스탠퍼드대학교 심리학 교수로, 팬데믹으로 공감이 사라졌다고 많은 사람들이 주장할 때, 오히려 코로나 19가 친절함의 세계적 유행을 불러왔다는 신선한 주장을 해서 유명해졌다. 그는 심리학과 신경과학 분야에서 공감의 작동법과 공감 능력을 키우는 법에 대해 연구하고 있다.

다른 사람의 고통이나 고난을 뉴스 등 매체로만 접하다 보니, 공감이 줄어든 건 사실이다. 예를 들면, 아이티 지진으로 수십만 명이 사망했고, 예멘에서는 8백만 명이 끼니 걱정을 하고 있다는 걸 뉴스로 접하면, 어마어마한 숫자에 경악하는 동시에 숫자에 압도되어 무력감을 느끼게 된다. 내가 아무것도 할 수 없다는 무기력이 결국 그들이 겪는 고통에 대해서도 무감각하게 만드는 것이다. 반대로 티브이에 암환자 아이가 나와 겪고 있는 고통에 대해 말하고 그 모습을 보여주면, 우리는 좀 더 쉽게 공감하고 그 아이를 돕기 위해 방송국에 연락을 하기도 한다. 〈공감의 심리학〉뿐 아니라 여러 심리학책에서 말해

주듯, 우리는 다수가 겪는 고난보다는 얼굴과 울음소리를 뇌리에 새겨놓는 한 명의 개인에게 더 쉽게 공감한다. 요즘처럼 사람과 직접 마주칠 기회가 줄면 '개인의 고통'에 다가갈 기회도 그만큼 줄기에 공감이 줄었다고 느끼게 되는 것이다.

코로나 19가 친절함의 유행을 불러왔다고 주장을 폈지만, 자밀 자키도 공감이 줄었다는 사실 자체를 부인하는 건 아니다. 다만 공감 능력을 키우는 방법에 집중하면서 희망을 포기하지 말자고 말하는 것이다. 그동안 절대 불변의 본성이라고 생각해 왔던 것들이 실은 유동적이라는 연구결과가 많이 나오고 있다. 공감 역시 타고난 기질이라 변하지 않는다는 이론이 한동안 지배적이었지만, 공감 능력도 얼마든지 변화시킬 수 있다는 연구 결과가 속속 나오고 있다.

뇌 과학이나 심리학 관련 책을 읽다 보면 신경가소성이라는 단어를 종종 접한다. 신경가소성은 우리 경험이 신경계의 기능적, 구조적 변형을 가능하게 한다는 뜻으로, 한 마디로 뇌가 변할 수 있다는 걸 뜻한다. 예전에는 뇌는 타고나는 것이고 변하지 않는다고 여겨왔는데, 뇌

과학 연구가 발전하면서 우리의 경험이나 선택, 습관에 따라 뇌가 얼마든지 변할 수 있다는 사실을 밝혀낸 것이다. 예전에 유전일 거라 여겼던 많은 것들이 유동적이라는 게 드러나고 있다. 공감은 대략 30 퍼센트 정도만 유전의 영향을 받고 나머지는 환경에 따라 변한다고 한다. 아이큐가 60% 정도 유전의 영향을 받는 것과 비교하면 공감이 훨씬 유동적이라는 걸 알 수 있다.

공감 능력은 우리가 어떻게 하느냐에 따라 얼마든지 변화가 가능한데, 재미있는 건 우리가 어떻게 믿느냐에 따라서도 공감 능력이 변할 수 있다는 사실이다. 자신의 심리에 대해 믿는 바를 '마인드셋'이라고 하는데, 공감의 마인드셋 연구 결과 단순히 자신의 공감 능력을 변화시킬 수 있다는 걸 믿는 것만으로도 공감 능력의 변화를 이끌어낼 수 있었다. 마인드셋은 공감뿐 아니라 지능지수나 성적에도 적용된다. 더 똑똑해질 수 있다는 사실을 배운 학생들이 다음 학년에 약간 더 높은 평점을 받았다는 연구 결과 등이 마인드셋의 중요성을 보여준다.

이런 연구 결과를 토대로 자밀 자키는 어떻게 공감을 키울 수 있는지 집중적으로 연구했다. 〈공감의 심리학〉

에도 다양한 방법들이 소개되고 있는데, 그중에는 배우가 되어 연기를 하는 것이 공감에 큰 도움이 된다는 내용이 있다. 연극 전공 학생들이 음악이나 시각 미술을 전공한 학생들보다 공감 테스트에서 더 좋은 결과를 보인 것이다. 진짜 그 사람이 되어볼 수는 없지만, 그 사람인 척하는 연기만으로도 그의 입장에 공감할 수 있는 가능성이 커지는 것이다.

〈뭐든 다 배달합니다〉는 직접 현장에 뛰어들어 체험해 보고, 현장에 있는 사람들을 공감하는 내용이 담긴 책이다. 저자 김하영은 〈프레시안〉 기자로 12년을 일했고, 아내와 1년 넘게 세계일주를 한 후 뜻하는 바가 있어 배달, 물류센터, 대리운전 등 플랫폼 노동 현장에 뛰어들었다. 플랫폼 노동 시장이 커지는데, 직접 그 세계에 뛰어들어 기자로서는 알 수 없었던 현장의 모습을 생생하게 맛보고 기록하고 싶었던 것이다. 말하자면 "'억대 연봉'의 배달 라이더, 대리기사만 열심히 해도 한 달에 4백 이상 번다"등의 기사가 사실인지 궁금했던 것이다. 물론 기자로서 인터뷰 등을 통해 심층 취재를 할 수도 있겠지만, 관찰자가 아닌 당사자만이 볼 수 있는 걸 보고 싶었다. 그렇게 직접 뛰어들었기에 플랫폼 노동 시장에서 사람이 어떻게 다뤄지는지를 세심하게 관찰할 수 있었다.

저자가 첫 번째로 체험한 플랫폼 노동은 쿠팡 물류센터 일용직이다. 인터넷 쇼핑몰은 플랫폼 사업자가 주문과 결제 시스템만 제공하는 경우가 대부분이다. 하지만 쿠팡은 아마존의 풀필먼트(fulfillment) 시스템을 모델로 해서, 상품 매입과 주문, 결제, 배송까지 모든 과정을 통제한다. 그렇게 시간을 단축해 당일배송 등 빠른 배송이 가능하게 되었고 그것이 쿠팡의 가장 큰 장점이 되었다.

쿠팡 물류센터 일용직은 IB(입고), OB(출고), '까대기'라고 불리는 HUB(상하차)로 나눌 수 있다. IB와 OB는 시간당 8,590원 최저임금을, 상대적으로 노동 강도가 높은 HUB는 그보다 조금 더 많은 9,070원을 받는다. 저자는 OB 업무 중 주문 들어온 상품들을 찾아 카트에 담은 뒤 포장대에 갖다 주는 '피커' 일을 하루 8시간 하고 일당으로 6만 8,170원을 받았다. (고용보험료 0.8% 제한 후 금액) 일당이 생각보다 적은 데도 놀랐지만, 최저임금을 받고 힘든 일을 하면서도 "사람 스트레스가 없어서 몸은 힘들어도 마음은 편하다"라고 말하는 사람들을 보고 더 놀랐다고 한다.

저자의 다음 도전은 배민커넥터. 배민커넥터는 자전거, 전동킥보드, 자동차 등 자신이 소유한 운송 수단으로 주문을 받아 배달을 하는 일이다. "시간당 평균 1만 5,000원." 배민커넥터 모집 웹사이트에 나와 있는 홍보 문구는 쿠팡 물류 센터 시급의 거의 두 배를 약속하니 혹하지 않을 수 없다. 하지만 실제 저자가 배민커넥터로 일한 후 계산기를 두드려 보니 일주일 일하고 겨우 84,380원을 벌었다. 홍보문구와 현실 사이에 큰 격차가 있었는데, 홍보의 허상을 조목조목 짚어주는 부분이 흥미로웠다.

배달 대행을 하려면 오토바이 등 운송수단이 필요한데, 오토바이를 사거나 대여하는 비용도 비싸지만 더 비싼 건 보험료다. 배달대행의 경우 유상운송보험에 가입해야 하는데, 저자가 호기심에 오토바이 배달을 할 경우 보험료 견적을 내보니 종합보험으로 270만 원, 책임보험으로 한정해도 170만 원이 나왔다. 나이가 마흔이 넘고 사고가 없어 이 정도지, 20대 초반이라면 보험료가 1,000만 원을 넘어간다고 한다. 유상운송배달용 오토바이의 사고율은 81.9%, 대부분 1년 안에 사고 한 번은 내기에 보험료가 비쌀 수밖에 없다. 오토바이가 위험하다는 인식은 있었지만, 배달 오토바이의 사고율이 이 정도로 높은 줄은 몰랐다. 이렇게 높은 위험을 안고 배달을 해도 한 달에 25일, 하루 30건 정도 배달을 한다면 이런저런 비용을 빼고 나면 160만 원 정도밖에 손에 쥘 수 없다. 최저임금도 안 되는 것이다.

라이더들이 빨리 달리고 곡예 운전을 하는 건 고객에게 '빨리' 배달하기 위해서가 아니라 '많이' 배달하기 위해서다. 건당 수수료를 받는 시스템 안에서는 어쩔 수 없다. 하루 피크타임 8시간 동안 50건을 처리하기 위해 묶음 배달을 하기도 한다. 총알 운전은 기본이고 주행 중에도 핸들에 거치된 스마트폰을 보면서 콜을 잡으며 달린다. 그야말로 목숨을 걸고 배달을 하는 것이다.

저자는 최저임금 협상을 할 때마다 남의 일로 생각했는데, 막상 힘든 노동 후에 최저임금을 받아 보고야 비로소 '내 일'이 되었다고 고백한다. 어쩌면 최저임금은 더 이상 먼 '남의 일'만은 아닐지 모른다. 2020년 기준 전국 최저임금 대상 노동자 추정치는 408만 명인데, 이는 임금 받는 노동자 중 20%에 해당한다. 임금 받는 노동자 다섯 명에 하나는 최저임금을 받고 일하는 것이다. 2018년에 242만 명이었던 걸 고려하면, 최저임금 노동자 비율이 앞으로 더 증가할 수도 있다. 최저임금 인상 때문에 피해 보는 영세 자영업자나 편의점 사장들은 모여서 시위라도 하지만, 408만 명 최저임금 노동자들이 모여 시위하는 일은 없을 테니 문제가 더욱 심각하다. 배달원 추정치는 10만 명이지만 라이더 유니온 조합원은 겨우 몇백 명 수준이다. 서로 동료라기보다는 경쟁자로 보기에 단결하거나 시위를 하는 게 어렵다. 쿠팡 피커만 해도 하루 종일 세 마디 하기도 어려운데, 함께 모여 노조를 만들고 시위를 할 가능성은 매우 낮다. 결국 최저임금 문제의 해결을 위해서는 최저임금을 받지 않는 사람들의 공감이 절실하다.

플랫폼 노동은 세련된 이름과 기술 혁신으로 포장되어 있지만, 사실 불안정한 저임금 노동일뿐이다. 저자가 몸으로 직접 겪으며 보여 주었다. 직접 현장에 뛰어들어 플랫폼 뒤에 가려진 '사람'을 보여주었기에, 우리는 힘든 노동 현장을 직접 겪지 않고도 그 이면을 볼 수 있었다.

마(Raymond Mar)를 비롯한 연구자들은 열혈 독자들이 책을 덜 읽는 사람들에 비해 타인의 감정을 더 쉽게 파악한다는 사실을 알아냈다. 이야기책을 탐독하는 아이는

책을 별로 안 좋아하는 친구들에 비해 더 일찍 마음 읽기
의 기술을 키운다.

(자밀 자키 〈공감은 지능이다〉 중)

책을 읽으면 읽을수록 타인의 감정을 훨씬 더 잘 알아
채고 공감할 수 있다니. 책을 좋아하는 사람들에게 반가
운 소식이 아닐 수 없다. 우울증에 걸린 사람 이야기가
담긴 소설을 읽은 사람들이 우울증의 폐해에 관한 과학
적 설명을 읽은 사람들보다 우울증 연구를 후원하는 단
체에 기부할 확률이 더 높았다는 연구를 보면, 소설은 공
감 능력 향상을 위해 꼭 먹어야 하는 일종의 '비타민'이
다.

아직 초기 단계지만 교도소 재소자들에게 책을 읽히
는 프로그램에 참여하게 한 후 대조군에 비해 재범 비율
이 현저히 줄어들었다는 연구들이 속속 나오고 있다. '누
구에게 돌을 던져야 하나'에서 소개했던 서현숙의 〈소년
을 읽다〉를 통해서도 소년원 아이들이 책을 읽으면서 타
인을 공감하고 긍정적으로 변해가는 모습을 볼 수 있었
다.

소년원 아이들의 공감을 많이 얻고, 또 아이들이 저자와의 만남까지 진행했던 책 중 하나가 이종철의 〈까대기〉다. 소년원에 들어온 아이 중에는 실제로 '까대기'를 해본 아이들이 많았기 때문이다. 〈까대기〉라는 책이 자신의 삶 속 어떤 부분과 통하기에 아이들이 더 많은 공감을 할 수 있었을 것이다.

〈까대기〉의 저자 이종철은 서양화를 전공한 만화가다. 생계를 위해 6년간 상하차 노동(일명 '까대기')을 했고, 그 경험을 바탕으로 만화를 그렸다. 솔직히 이 책을 읽기 전에는 '까대기'라는 말을 들어본 적도 없었고, 온라인으로 주문하고 배송받을 때 그 물건 하나를 받기 위해 얼마나 많은 사람의 손을 거치는지도 잘 몰랐다. 저자 이종철도 '까대기'를 직접 해보기 전까지는 택배를 너무도 당연한 서비스로 받아들였다고 고백한다. 주문하면 하루 이틀 안에 무조건 받아야지 늦어지면 짜증내는 게 당연하게 여겨질 정도였다고.

〈뭐든 다 배달합니다〉〈까대기〉 두 권 모두 힘든 노동의 현장을 잘 보여주는데, 그 힘든 현장에서 가장 감동한 순간이나 오래 기억될 순간으로 두 책 저자 모두 누군가가 내밀어준 따스한 인사나 손길을 꼽았다. 배민 배달을 가서 음식을 내려놓고 돌아가는데 문까지 열고 나와 수고 많다고 인사를 하는 것. 택배 기사가 올 때를 맞춰 비 오는 날이니 감기 걸리지 말라고 꿀차를 따뜻하게 데워두었다 전해주는 것. 최저임금을 올리거나 불안정한 노동환경을 혼자 힘으로 바꿀 수는 없지만, 감사의 인사나 작은 정성을 건네는 일은 할 수 있다. 몸이 아무리 힘들어도 우리는 누군가 나를 사람으로 봐주고 따스하게 건네는 작은 손길 하나에 가슴이 녹는다.

직접 그 세계에 뛰어들어 경험해 보는 게 공감을 하기 위한 가장 좋은 방법이지만, 실질적으로 모든 걸 다 직접 경험하는 건 불가능하다. 다행히 책을 통해서도 얼마든지 다양한 삶을 경험하고 타인의 감정에 공감할 수 있다. 좀 더 많이 읽고 그로 인해 보이지 않던 것들을 볼 수 있는 눈이 열리기를 바란다. 플랫폼 노동 현장처럼 열악한 노동 환경이 개선되어 힘들게 일하는 모든 이들이 적절한 임금을 받고 안전한 작업 환경에서 일할 수 있기를 바란다. 나 혼자의 힘으로 그 모든 걸 바꿀 수는 없으니, 우선은 할 수 있는 것들부터 하나씩 해나가고 싶다. 시선을 맞춘 따뜻한 인사나 음료수 한 병, 그리고 배달 로봇이

아서 사랑으로 매승하는 일 된다 짓.

여행, 특별할 게 없어도 특별한

〈경양식집에서〉 - 조영권
〈언제나 여행 중〉 - 가쿠타 미츠요

코로나 19로 바뀐 세상에서 우리가 가장 그리워한 것 중 하나는 여행이었다. 중국은 코로나19의 발원지면서, 엄격한 통제와 관리로 한동안은 제일 안전한 곳이 되기도 했다. 다른 나라에서 위드코로나를 할 때도 홀로 제로 코로나를 유지하느라 많은 사람들이 고충을 겪었다. 해외입국자 시설격리 때문에 중국을 떠나는 건 쉬워도 다시 돌아오려면 '감옥' 생활을 각오해야 했던 것이다. 격리기간이 길 때는 3주나 되기도 했다. 2주 정도 되는 시설격리를 세 번 겪어봤는데, 솔직히 다시는 하고 싶지 않다. 이렇게 여행을 하기 힘든 시기를 지내면서 여행에 대해 오히려 더 많이 생각해 보게 되었다.

〈경양식집에서〉를 음식 에세이나 그림 에세이로 분류할 수 있는데도 여행 에세이로 소개하는 것도 여행에 대한 관점이 바뀌었기 때문일 것이다. 경양식집 탐방기도 한동안 꼼짝을 못 하고 있던 내 눈에는 여행기로 보이는 것이다.

저자인 조영권은 28년 차 피아노 조율사다. 조율 의뢰가 오면 전국 어디든 달려가고 일이 끝나면 그 동네 경양식 집을 찾아 식사하는 소박한 취미를 갖고 있다. 출장 나갈 때 들렀던 다양한 경양식집을 소개하며, 그 소소한 이야기를 에세이로 담았다. 전작인 〈중국집〉역시 조율을 마치고 들른 중국집, 즉 중식 노포를 소개하는 탐방기다.

70~80년대 외식 문화는 중국집과 더불어 경양식집이 전부였다. 90년대 이후 패밀리 레스토랑과 치킨집의 등장으로 경양식은 점점 쇠퇴했고, 특히 돈가스와 오므라이스는 분식집에서 흔히 맛볼 수 있는 음식이 되었다.

두 권의 책 〈중국집〉과 〈경양식집에서〉에 등장하는 음식이 모두 7,80년대 외식문화를 대표하는 음식이다. 다양하고 세련된 음식점들이 많이 생겨난 요즘, 중국집이나 경양식집을 찾아 식사를 하는 건 일종의 '추억 여행'이라고 할 수 있다.

수프와 깍두기를 먼저 내준다. 음식이 나오기 전 소주 한잔하는 데 이만한 게 없다.

조영권 조율사는 경양식 집에서 와인이 아니라 소주를 시켜 반주로 마시는 걸 좋아한다. 돈가스나 (비프 커틀릿이 아닌) 비프가스, 함박 스테이크 등은 분명 서양에서 온 음식이지만 이미 한국 현지화된 우리 음식이다. 짜장면이 이미 한국음식이 된 것처럼. 경양식 집에서 먹을 수 있는 돈가스는 분명 오스트리아에서 먹는 슈니첼과 다르다. 그러니 스테이크나 햄버거가 나오는 레스토랑과 달리 경양식 집에서는 어쩌면 와인보다 소주가 더 잘 어울릴지 모른다.

음식만 7,80년대를 회상할 수 있는 추억의 음식이 아니라, 경양식집 자체도 그만큼 오래되었다. 대부분의 경양식 집이 부부가 운영하는데, 아마 그 세대가 지나면 이어받을 이가 없어 사라질지 모른다. 언젠가 사라질지 모르는 경양식 집에서 누가 알아주든 알아주지 않든 디테일에 최선을 다하는 이들의 이야기를 들으면 가슴이 따뜻해진다.

메인 요리가 나오기 전에 내주는 수프를 만드는 일은 힘들고 귀찮은 일이다. 열에 아홉은 오뚜기 수프를 쓴다고 한다. 하지만 밀가루와 버터를 약한 불에 오래오래 볶는 그 지난한 일을 꾸준히 직접 하는 곳이 있다.

공이 들어가는 거라, 밀가루 볶는 게 거의 인생이에요. 맨 처음에 버터를 녹인 다음에 밀가루를 넣잖아요. 이제 그걸 반죽하듯이 약한 불에서 볶는데, 뻑뻑해요 근데 그게 시간이 점점점점 지나면, 걔가 스스로 융해되듯이 팍, 녹아버려요. 아주 부드럽게 (…) 상식적으로는 점점 더 뻑뻑하게 굳어갈 거 같잖아요. 볶으니까. 근데 밀가루하고 버터하고 비등점에서 융해가 돼 버려요. 화합이 되는 거지. 갑자기, 어느 순간. 그게 인생하고 똑같아요, 하하하. (…) 거기서 욕심을 부려서 이제 좀 더 볶죠. 그럼 색깔이 갈색이 나버려요. 못 쓰는 거지. 한순간에, 그게 딱 인생이에요. 기다려야 되고, 참아야 되고, 놓치면 돌아오지 않고, 어떨 땐 지루해서 하기 싫거든요. 그래도 참아야 하니까, 인생이란 게.

직접 경양식집에서 소주잔을 기울이며 사장님의 이야기를 듣고 있는 듯하다. 주 메뉴도 아니고 겨우 곁들여 나오는 수프를 위해 오랜 시간 버터에 밀가루를 볶으며 거기서 인생을 발견하는 경지. 오랜 시간 한 가지 일에 매진한 사람만이 얻을 수 있는 교훈이 아닐까. 저자 역시 경양식집 탐방을 취미처럼 즐기고 있지만, 피아노 조율이라는 본업에 얼마나 충실한지 책을 읽어 보면 알 수 있다.

피아노 조율을 위해 전국 어디라도 달려가는 일은 결코 쉽지 않은 일일 것이다. 때로는 사례비가 얼마 되지 않는데, 몇 시간씩 차나 기차를 타고 출장을 가야 할 때도 있다. 하지만 그럴 때에도 저자는 자칫 힘들고 지칠 수 있는 출장을 경양식 맛집을 찾아가는 설레는 여행으로 만든다. 가끔 예정되었던 출장이나 일이 갑자기 취소되어도 하루를 공치게 되었다고 불평하는 대신 갑자기 생긴 휴일이라 여기며 맛집 탐방을 위해 즐거운 마음으로 기차나 버스를 탄다. 어쩌면 진짜 여행은 이렇게 일상 중에 우리가 특별할 것 없는 뭔가를 특별하게 여길 수 있는 마음에서 시작되는 건 아닐까.

한동안 조율을 받지 않은 피아노라 2시간 가까이 액션 (건반을 누르며 해머가 현을 치게 하는 피아노 메커니즘) 을 조정하고, 음을 조율했다.

조율사를 힘들게 하는 건 오랜 시간 방치된 피아노다. 피아노는 매년 한두 번씩 정기적으로 조율을 받아야 하는데, 나 역시 이사를 간다든지 하는 큰일이 없는 한 피아노를 조율하지 않은 채 방치하곤 했다. 언젠가 거의 4,5년 만에 이사를 하며 피아노 조율을 받은 적이 있었다. 조율사가 땀을 뻘뻘 흘리며 거의 대여섯 시간 작업하는 걸 보고 미안한 마음과 함께 경외감을 느꼈던 기억이 있다. 피아노를 오랜 시간 방치한 걸 보면, 설사 조율을 대충 하고 돌아간다 해도 피아노 주인인 나는 전혀 알아채지 못했을 것이다. 무식한 주인을 만나 방치된 피아노를 정성을 다해 하나하나 조율해 완벽한 소리를 재현해 내는 조율사를 보며 감탄했고, 그 후로 피아노 조율이라는 일을 더욱 존중하게 되었다.

가쿠타 미츠요는 소설가이자 에세이스트로 스스로를 여행 마니아라 부를 만큼 여행을 좋아한다. 그의 소설 〈언덕 중간의 집〉을 인상 깊게 읽었는데, 소설에서 작가의 섬세한 시선에 감탄했었기에 여행에세이도 읽어 보고 싶었다.

〈언덕 중간의 집〉은 8개월 된 젖먹이 아이를 욕조

에 빠뜨려 살해한 미즈호의 공판에 관한 이야기다. 젖먹이 아이를 살해한 사건보다 미즈호가 일상적인 언행에서 받는 모욕과 상처가 더 생생해서 기억에 남는다. 남편이 결혼 전 사귀던 여자에게 연락해 아내가 육아에 서툴다는 이유로 상담을 빙자한 만남을 이어가고 있는 걸 발견했을 때, 자기는 다섯 잔째 마시고 있으면서 350밀리 맥주 두 번째 캔을 꺼내는 걸 보고 "또 마셔?"하는 남편을 볼 때, "친정어머니에게 사랑받지 못하고 자랐으니 좋은 엄마가 되기 어렵겠지?"하는 남편을 볼 때 미즈호는 어땠을까?

여행은 독서와 마찬가지로 개인적이다. 똑같은 책을 읽고도 감동하는 사람이 있는가 하면 아무것도 느끼지 못하는 사람이 있다. 같은 곳을 여행했더라도 받는 인상은 절대적으로 다르다. 때로는 보이는 광경까지 다르다.
(…)
여행은 딱 한 번뿐이다. 끝나고 나면 그 여행은 이미 과거다. 두 번 다시 그걸 맛볼 수 없다.

(가쿠타 미츠요 〈언제나 여행 중〉 중)

예전에는 한 번 여행했던 곳에는 다시 가고 싶지 않았

다. 가고 싶은 곳이 너무 많아 늘 새로운 곳을 찾아다니기에도 시간이 모자랐기 때문이다. 그런데 얼마 전부터는 방문했던 곳 중 다시 찾고 싶은 곳들이 생겼다. 같은 곳에 다시 가도 같은 여행이 되지 않는다는 걸 확실히 깨달았기 때문이다.

여행을 좋아하고 많이 하는 편이지만, 사실 방향치에 길치라 여행을 하기에 적합한 능력을 타고나지는 못했다. 그런데 여행 마니아라는 가쿠타 미츠요 역시 나처럼 길을 잘 못 찾고 헤맬 때가 많다고 하니, 여행에 필요한 능력 같은 게 따로 있는 건 아닌 모양이다. 열린 마음이 중요할 뿐.

지도가 있으니까 헤매는 거다. 지도가 없으면 헤맨다는 개념 자체가 생기지 않는다.

길을 잃고 헤맬 때마다 꺼내 보고 싶은 말이다. 똑같은 내 모습이 목적지를 못 찾아 헤매는 것이 될 수도 있지만, 다른 시선으로 보면 자유롭게 여행지를 만끽하는 모습일 수도 있는 것이다. 결국 어떻게 보느냐, 시선과 관점이 중요하다. 지도나 목적지 없이 발길 닿는 대로 걷는 것이 목적지만 딱딱 찾아가 찍고 돌아오는 여행보다 더 여행의 본모습에 가까운 건 아닐까.

〈언제나 여행 중〉에는 여행지였던 여러 나라들이 나오는데, '뜨겁고, 매운 짧은 여행'이라는 제목으로 한국에 다녀온 이야기도 있다.

한국 식당에서는 자리에 앉은 손님에게 김치를 몇 종류나 갖다 줬다. 어디든 예외가 없었다. 처음에는 이국에서 이따금 겪는 '주문도 안 했는데 가져와서 터무니없는 돈을 요구'하는 사태가 일어날까 걱정했지만, 그렇지 않다는 걸 바로 알았다.

한국 사람이 일본에 가서 식당에 들어가면 기본으로 나오는 반찬이 거의 없고, 나오는 음식의 양도 적어서 당황하는데, 일본인이 한국에 여행 올 때는 반대로 당황한다는 사실이 재미있었다.

돌솥비빔밥도 곰탕도 부침개도, 이 여행에서 먹은 건 뭐든 다 맛있어서 깜짝 놀랐다. 돌솥비빔밥은 너무 맛있어서 눈물이 나올 것 같았다. 곰탕은 한 입 먹고 한동안 말을 잃었다. 여행 중 식사 선택에 실패가 없는 경우는 상당히 드물다.

여행 중 입에 맞지 않는 음식 때문에 고생하는 경우가
종종 있다. 그 때문에 여행을 꺼리는 이들도 있고, 한 번
떠날 때 짐을 먹을거리로 잔뜩 채우는 사람들도 있다. 먹
는 음식마다 별로 실패하지 않는 나라를 만나면 그만큼
반가울 수밖에 없다. 내게는 베트남이 그랬다. 허름한 음
식점에서 먹는 쌀국수나 다른 음식들이 모두 맛있어서
여행 내내 행복했던 기억이 있다.

음식 이야기로 운을 띄웠지만, 가쿠타 미츠요가 한국
에 간 목적은 음식이 아니고 독립기념관이었다.

오른 눈높이에 몇 센티미터 틈이 있고, 그 틈으로 전시
물을 들여다보게 돼 있었다. 전시물은 어느 것이나 너무나
잔혹하고 비참해, 아이들은 보지 못하게 배려한 것이었다.
하지만 한국 사람들은 키가 작아 작은 창이 보이지 않는
아이를 안아 올려 안을 보여줬다.
(…) 관 전체가 '이래도 괜찮아? 이래도?' 하고 집요하게
공격해 온다. 일본인이 이곳을 걷는 건 상당히 불편하다.
이곳에 온 일본인이 알지도 못하는 노인에게 느닷없이 뺨
을 맞았다는 이야기를 전에 어느 책에서 읽은 적도 있다.

(…) 하지만 이런 것을 제대로 봐두지 않으면 안 된다. 뺨을 맞더라도.

과거를 반성하지도 않고 우리에게 제대로 사과도 하지 않는다고 일본을 미워하지만, 개개인 단위로 보면 과거 역사를 정확히 보려고 애쓰는 일본인들이 꽤 있다. 뺨을 맞더라도 독립기념관을 봐줘야 한다는 생각에 한국을 찾았다니…. 그렇게 세심하게 살필 수 있는 마음이 있기에 〈언덕 중간의 집〉에서 사건 배후에 있는 언어폭력을 섬세하게 잡아낼 수 있었던 것이리라.

결국 여행은 '어디를 가느냐'보다 그곳이 어디든 어떤 시선으로 특별한 걸 발견해 내느냐가 훨씬 중요하다. 특별한 게 없어도 특별하게 느낄 수 있는 것이 바로 여행인 것이다. 자칫 힘들고 피곤할 수 있는 출장길이 맛집을 찾아 떠나는 설레는 추억 여행이 되기도 하고, 우리에게 일상일 수 있는 한국이 흥미로운 여행지가 될 수도 있다. 여행이 자유롭지 않을 때는 지금 머무는 이곳, 일상에서 여행을 누릴 수 있다. 어떻게 하면 '지금, 여기'에 반짝임을 더할 수 있을까. 여행 대신 여행에세이를 읽으며 상상 속 수많은 길을 누벼 본다.

사랑, 다시 써도 사랑!

✿

〈노르망디의 연〉 - 로맹 가리
〈로맹 가리와 진 세버그의 숨 가쁜 사랑〉 - 폴 세르주 카콩
〈자기 앞의 생〉 - 에밀 아자르

제일 사랑하는 작가는?
로맹 가리!

좋아하는 작가는 계속 바뀌어도, 제일 사랑하는 작가 자리는 아직까지 단 한 번도 바뀐 적이 없다. 로맹 가리가 딱 버티고 있다. 자신의 삶이 소설보다 더 소설 같았던 작가, 로맹 가리.

로맹 가리 스스로도 "내 소설은 사랑 이야기가 아닌 게 없다"라고 말했듯, 그의 작품은 언제나 사랑을 이야기한다. 그의 마지막 소설인 〈노르망디의 연〉 역시, 다시 사랑 이야기다.

프랑스 노르망디의 농가. 이제 막 열 살이 될 소년 뤼도가 폴란드 귀족 집안의 딸 릴라를 만나 사랑에 빠진다. 소녀의 이름도 모른 채 단 한 번 보고 사랑에 빠진 뤼도는 매일 그녀를 만나기 위해 같은 장소에 나간다. 마침내 4년 후, 다시 릴라를 만나 잠시 행복한 시간을 보내지만 곧 2차 세계대전이 일어나면서 둘은 연락이 끊기고 많은 것들이 나락에 떨어진다.

'연의 장인'으로 불리는 뤼도의 삼촌이 다양하고 아름다운 연들을 만들었지만, 단 하나도 하늘에 띄우지 못한다. 나치가 연날리기를 금지했기 때문이다. 혹시라도 연을 통해 정보를 교환하고 서로 연락할까 두려워한 것이다. 전쟁이란 이유로 마땅히 하늘에 있어야 할 연이 땅으로 떨어졌다. 연뿐 아니라 많은 것이 땅으로 추락한다. 인간의 존엄이나 명예, 생명, 자유, 사랑 같은 것들이….

많은 것이 추락하는 전쟁 중에도 뤼도는 릴라를 다시 만날 수 있다는 희망을 포기하지 않고, 끊임없이 릴라를 상상한다. 마치 뤼도의 삼촌이 전쟁 중에, 심지어 아우슈비츠에 잡혀갔을 때도 멈추지 않고 연을 만들었던 것처럼. 뤼도는 상상의 연을 띄우는 것이다. 뤼도는 릴라와의 추억을 빠짐없이 기억하고, 끊임없이 상상하며 그 상상 안에서 연인을 소중하게 지켜가는 것이 사랑의 방법이라고 믿는다.

로맹 가리는 우리가 상상력을 잃는 순간 "네 발로 기게"되며, 문명이란 상상력을 동원해 "있는 그대로의 현실의 목을 계속해서 비트는" 일이라고 말했다. 특히 사랑할 때야말로 그 어느 때보다 상상력이 필요하다는 걸 소설을 통해 보여준다.

인간의 존엄이 바닥으로 떨어지는 전장에서도 인간을 인간답게 만드는 동력이자 추락하지 않도록 하늘에 띄워주는 건 상상력이다. 연을 띄우는 것이 금지된 상황에서도 보이지 않는 연을 끊임없이 띄울 수 있는 건 바로 상상의 힘이다. 실제로 다양한 심리학 연구에서 억울하게 포로수용소나 감옥에 수감된 이들이 그 험악한 상황에서 생존하고 또 자신의 존엄을 지켜내는 데 상상력이 중요한 역할을 했다는 걸 증명하고 있다.

"뤼도비크 플뢰리, 너를 위해 내가 걱정하는 오직 한 가지는 말이야… 두 사람의 재회야. 어쩌면 그때쯤 난 이미 없을지도 몰라. 그래서 실망할 일을 면제받게 될지도 모르지. 프랑스를 되찾게 될 때면 우리의 상상력도 많이 필요할 테고 공상도 많이 필요할 거야. 네가 3년 동안 그토록 열렬히 줄곧 상상해 온 그 아가씨를 다시 만나게 되면… 온 힘을 다해 계속 그 아가씨를 만들어내야 할 거야. 틀림없이 네가 알았던 여자와는 아주 다를 테니까… 프랑스의 경이로운 귀환을 꿈꾸는 우리 레지스탕스 대원들은 훗날 종종 꺼림칙한 웃음으로 실망감을 드러내게 될 거야. 저마다 다른 정도의 실망감을….”

팽데르 선생의 예언대로 몇 년 뒤 뤼도가 릴라를 다시 만났을 때, 릴라는 예전의 릴라가 아니었다. 전쟁 중 험악한 일들을 겪은 릴라는 심지어 ‘독일군 장교의 여자’로 불린다.

“상상의 작품이 아닌 건 살아볼 가치가 없어. 상상 없이는 바다도 한낱 짠물일 뿐일 테니까… 이를테면, 50년째 나는 내 아내를 줄곧 지어내고 있어. 난 아내가 늙어가도록 내버려두지 않았지. 그녀에겐 결점이 분명 많겠지만 그걸 나는 장점으로 바꾸었어. 그리고 내 아내의 눈엔 나도 특별한 남자지. 아내도 나를 지어내길 그만둔 적이 없거든. 함께 50년을 살면서 우리는 서로 보지 않고서 서로를 지어내고, 매일 서로를 다시 지어내는 법을 배우고 있어. 물론,

있는 그대로의 현실은 놓지 말아야 하지. 하지만 그건 그 현실의 목을 제대로 조르려고 붙드는 거야. 더구나 문명이란 있는 그대로의 현실의 목을 계속해서 비트는 방식일 뿐이지."

간절히 기다리고 있을 때뿐 아니라, 예기치 못한 실망스러운 모습을 맞닥뜨린 후에도 사랑하는 상대를 위해서 상상력이 지속적으로 필요하다. 그 대상이 연인이든 나라든. 누군가와 사랑에 빠질 때 상상력을 사용하기는 쉽다. 오히려 현실과 동떨어진 이상적인 상대를 그려내어 '콩깍지가 씌었다'는 소리를 들을 위험이 있을 정도로. 하지만 꼭 전쟁이 아니라도 삶 속에서 우리 모두는 때로 상처 입고 추락하기도 하며 사랑하는 이에게 실망을 안길 수 있다. 진짜 사랑은 바로 이런 순간에 빛을 발한다. 상대가 한없이 추락하는 그 순간에도 사랑하는 이의 존엄을, 아름다움을, 가치를 붙들어 추락하지 않도록 지켜내는 것이 바로 사랑이기 때문이다. 인간답게 살 수 있도록 우리의 존엄을 지켜주는 것도, 사랑하는 이를 지켜내는 것도 상상의 힘이다. 그리운 연인보다, 부부처럼 매일 보는 관계일수록 상상의 힘은 더 필요할지 모른다.

뤼도가 릴라를 재회했다 상황이 악화되어 또다시 헤어지는데, 그 후 돌아온 릴라의 모습은 더욱 비참했다. 릴라는 창녀가 되어 몸을 팔며 겨우 생명을 유지해 왔기에 죄책감과 수치심으로 뤼도를 만나는 것조차 두려워한다. 그때 뤼도는 릴라에게 이렇게 말해 준다.

"넌 여기서 한 번도 떠난 적이 없어. 늘 여기 남아 있었어.
넌 나를 떠난 적이 없어."

뤼도에게 상상력은 보이지 않는 것을 볼 수 있고, 바랄 수 없는 것을 바라게 하는 믿음이 아니었을까. 결국 그의 그런 믿음이 추락했던 릴라를 일으켜 세운다.

〈노르망디의 연〉이 출간되기 직전에 이루어진 생애 마지막 라디오 대담에서 로맹 가리는 이 작품이 자신에게 "대단히 소중하고 중요한 소설"이라고 힘주어 말했다. 그리고 불과 몇 개월 뒤 그는 자살로 세상을 떠났다. 1980년 12월 3일, 로맹 가리가 권총을 입에 물기 전에 남긴 쪽지에는 이렇게 적혀 있었다.

(…) 답은 내 자전적 작품의 제목 '밤은 고요하리라'와 내

마지막 소설의 마지막 구절에서 찾기 바란다. 나는 마침내
나를 완전히 표현했다.

그의 마지막 소설인 〈노르망디의 연〉은 이렇게 끝난
다.

더 잘 말할 수는 없겠기에.

마지막 소설과 유언에서 로맹 가리는 '더 잘 말할 수
없기에' '마침내 나를 완전히 표현했다'며 쓸 것을 다 썼
다고 마침표를 찍었다. 도무지 상상이 되지 않는 경지이
지만, 권총을 입에 물었던 그의 마음을 더듬어 본다.

마지막 남긴 쪽지 앞부분에는 이런 말이 있다.

D데이, 진 세버그와는 상관없는 일이다. 깨진 사랑 얘기
를 좋아하는 사람들은 다른 데 가서 알아보시길.

로맹 가리는 자살이 진 세버그와 관계없다고 유언을
남겼지만, 폴 카르주 카콩은 〈로맹 가리와 진 세버그의
숨 가쁜 사랑〉에서 오히려 반대라고 말하고 있다. 이 책
은 로맹 가리와 진 세버그의 전기로 21살의 진 세버그가
45살의 로맹 가리를 처음 만나는 장면부터 강렬한 끌림

으로 시작되어 죽을 때까지 이어진 두 사람의 운명적인 사랑을 다룬다.

로맹 가리가 LA 주재 프랑스 영사로 있을 때, 미국인인 진 세버그를 만났다. 두 사람이 만날 당시 로맹 가리는 레슬리 블랜치라는 영국인 작가와 결혼 생활 중이었다. 레슬리는 로맹 가리에게 이렇게 충고했다.

"그 미국인 여자를 차라리 정부로 삼아라. 결혼은 안 된다. 그건 자살 행위다."

레슬리는 진 세버그와의 결혼을 계속 반대했지만, 진이 임신을 하자 이혼에 동의하고 로맹 가리는 진 세버그와 결국 결혼을 한다. 레슬리의 충고가 예언이었을까. 진과 결혼함으로 로맹 가리는 외교관직을 잃었다. 그리고 결국 1년 간격을 두고 진도 로맹 가리도 자살로 생을 마감한다.

진은 실종된 지 열흘 만에 자동차에 죽은 채 발견되었다. 약물 과다 복용으로 인한 자살로 결론이 났다. 하지만 의문이 많이 남는 죽음이었다. 혈중 알코올 농도가 리터당 4그램만 되어도 혼수상태에 빠지는데, 당시 진은 리터당 7.94 그램이었다. 자동차를 몰기는커녕 걸을 수조차 없는 상태였던 것이다. 하지만 수사관들은 사체 주위에서 어떤 술병도 발견하지 못했다. 당시 전남편인 로맹 가리는 기자회견을 열어 진 세버그의 죽음에 대해 FBI에게 물었다.

도대체 진 세버그가 어떤 사람이기에 로맹 가리가 그의 죽음을 FBI에게 물었을까? 진은 영화 〈슬픔이여 안녕〉〈네 멋대로 해라〉에서 청순하면서도 도발적 이미지를 보여 주며 화려하게 데뷔했다. 인기가 수직 상승하던 중 로맹 가리를 만나 일으킨 스캔들, 혼전 임신과 출산 등으로 추락이 시작된다. 미국 흑인 인권 운동에 뛰어들어 흑인 과격행동주의자들과 어울리면서 추락은 급격히 빨라졌다. FBI의 감시와 공작에 시달리면서 정신적으로 무너졌고, 점차 술과 약물에 의존하게 되었다. 입원과 자살기도가 이어지다 결국 41세의 젊은 나이로 세상을 떠났다.

"아버지는 더는 만들 것도 없고 말할 것도 없다고 판단하셨다. 아버지는 내가 대입 자격시험에 합격할 때까지 돌봐주셨다. 작년에 나는 시험에 합격했다. 아버지는 내가 어른이 되었다고 판단했고, 그래서 결국 떠나셨다."

로맹 가리와 진 세버그 사이에 태어난 아들 알렉상드

르 디에고 가리의 말이다. 로맹 가리가 자살하며 남긴 쪽지에 자신의 죽음이 진 세버그와 관계없다고 썼지만, 정말 그럴까. 죽은 자는 말이 없으니, 우리는 그저 짐작할 수밖에….

로맹 가리가 죽고 얼마 후, 베일에 가려져 있던 작가 에밀 아자르가 로맹 가리였다는 사실이 밝혀지면서 세상은 다시 한번 충격에 휩싸였다. 로맹가리는 몹시 성공한 작가였지만, 그만큼 비판과 시기의 대상이 되었다. 특히 비평가들이 로맹 가리는 이제 끝났다고 떠들어대며 조롱하고 있을 때, '에밀 아자르'라는 필명으로 비평가들을 속이고 재기한 것이다. 로맹 가리는 에밀 아자르가 자신임을 전혀 눈치채지 못하는 비평가들을 보며 "내가 얼마나 통쾌했을지 상상해 보시라. 나의 작가 인생 전체에서 가장 달콤한 즐거움이었다"라고 말했다. 로맹 가리는 역사상 유일하게 공쿠르 상을 두 번 받았는데, 두 번째 상을 받게 된 작품이 에밀 아자르의 이름으로 낸 〈자기 앞의 생〉이다.

〈자기 앞의 생〉은 부모에게 버림받은 열네 살 소년 모모의 이야기다. 모모는 부모가 버린 아이들을 맡아 키우는 유대인 로자 아줌마와 함께 지내는데, 로자 아줌마는 유대인이라는 이유로 아우슈비츠에 강제 수용된 끔찍한 기억을 갖고 있다. 로자 아줌마가 뇌혈증으로 죽자, 모모는 죽은 로자 아줌마 곁을 혼자 지키며 3주를 보낸다. 냄새 때문에 사람들이 문을 부수고 들어올 때까지 모모는 로자 아줌마의 곁을 지킨다.

〈노르망디의 연〉에도 로자 아줌마와 비슷한 캐릭터가 등장한다. 유대인이자 창녀들의 포주인 쥘리 에스피노자 부인. 에스피노자 부인은 나치들이 쳐들어 올 걸 알고 철저히 준비해서 백작 부인으로 변신하는데, 백작 부인으로 변신한 후에도 주인공 뤼도를 돕는다. 소설이 작가의 자서전은 아니지만, 모든 소설에는 작가의 삶이 잘게 부서져 들어가게 마련이다. 유대인 이민자였던 작가 자신의 뿌리와 자신이 참전했던 2차 세계 대전, 그리고 강렬한 사랑의 경험이 소설 여기저기에 스며들어 있다.

로맹 가리보다 더 소설처럼 산 인물이 있을까. 차별받는 유대인 이민자로, 2차 대전 때는 전투기 비행사로 무공훈장을 받는 영웅이었고, 뛰어난 외교관이자 유명한 작가였다. 숨 가쁘고 강렬한 사랑을 했고, 또 소설마다 사랑 이야기를 아름답게 담아냈다. 하지만 그를 떠나보내는 장례식에까지 그의 신분, 태생 등의 문제가 끝까지 따라붙었다. 앵발리드 뜰에서 장례식을 거행하는데 대해 자살했다는 이유로 레지옹 도뇌르 상훈국 총재가 반대를 했고, 장례 미사를 드리는 데도 유대인이라는 이유로 신부의 반대가 있었다. 아마 로맹 가리는 그럼에도 그 모든 걸 웃으면서 훌훌 털어버리고 떠났을 것이다. 하늘 높이 떠오르는 연처럼. 뤼도의 삼촌이 뤼도에게 해준 조언처럼, 자신의 전부를 바쳐 사랑한 자는 나머지에 마음 쓰지 않는 법이니까.

"네가 정말 누군가를 혹은 무언가를 좋아한다면 네가 가진 모든 것을, 심지어 너의 전부를 바치거라. 그리고 그 나머지엔 마음 쓰지 마라."

한 달 여행에 어울리는 책들

〈재즈〉 - 토니 모리슨
〈혼자의 넓이〉 - 이문재
〈단무지와 베이컨의 진실한 사람〉 - 김승희

아이를 키우면서 가장 잘한 일을 꼽으라면 여름마다 두 아이를 데리고 한 달씩 여행을 떠난 일이다. 여섯 살, 일곱 살 난 아이를 두고 여행을 떠날 수 없으니 데리고 갈까, 하며 시작한 한 달 여행을 9년째 계속했다. 미국 캘리포니아를 시작으로 프랑스, 싱가포르와 말레이시아, 웨일스, 러시아, 오스트리아, 체코, 크로아티아, 하와이, 아이슬란드를 다녀왔고, 코로나 19로 선택지가 줄었을 때는 전라도 일대와 중국의 하이난 섬을 여행했다.

이렇게 여행 마니아가 되었지만, 사실 성인이 될 때까지는 여권도 없었고 국내선 비행기조차 타 본 적 없었다. 아빠가 늘 바빠서 가까운 곳에 가족이 함께 여행을 간 것도 손가락으로 꼽을 수 있을 만큼 드물었다. 어쩌면 그런

결핍이 있었기에 바쁜 남편을 두고 어린애들을 데리고 한 달씩 여행을 떠날 용기를 내게 된 것인지도 모르겠다.

제일 좋아하는 활동을 딱 두 가지만 꼽으라면 주저 없이 여행과 독서를 꼽을 것이다. 그러고 보니 둘 다 다른 삶을 체험해 본다는 공통점이 있다. 살던 곳을 떠나 낯선 곳으로 몸을 옮기는 여행과 내 삶과는 전혀 다른 삶을 간접 체험하는 독서, 모두 '나'라는 한계를 벗어난다는 점에서 비슷하다.

여행 떠나기 전 짐을 쌀 때, 사람마다 신경 써서 꼭 챙기는 아이템이 다르다. 낯선 음식을 잘 못 먹는 사람은 먹을 걸 많이 챙겨갈 테고, 예쁘게 하고 사진 찍기 좋아하는 사람은 옷과 신발 등 패션 아이템을 여럿 챙길 것이다. 내 경우에는 짐을 간소화해 최대한 가볍게 싸려고 애쓰는 편이다. 세 명이 한 달간 여행할 짐을 싸면서도 먹을 거라곤 봉지라면 5개짜리 1팩 외에는 전혀 챙기지 않는다. 옷도 빨아 입기 쉬운 반바지와 티셔츠 몇 장 정도만 넣고, 액세서리나 화장도 여행 중에는 거의 하지 않는다. 여행지의 날씨에 따라 옷 부피가 좀 달라질 뿐, 어디를 가든 여행 짐은 비슷하다.

달라지는 건 책 몇 권뿐이니, 책을 고를 때 고민을 가장 많이 한다. 여행과 독서를 함께 할 때 기쁨이 배가된다는 걸 알기에, 어떤 책을 여행에 가져갈까 고민하는 시간마저 행복하다.

몇 년 전 한 칼럼에서 '호텔에서 뭘 하며 시간을 보내는가'라는 뜬금없는 질문의 통계를 발견했다. 24개국 2만 5천 명을 대상으로 했으니 나름 유의미한 분석이 가능한 통계였다. 호텔에서 뭘 하는지 전체 답변을 보지는 못했지만, 책을 읽는다는 답변이 꽤 많았다. 호텔에서 책을 본다는 답변 비율을 나라별로 보면, 스웨덴 사람은 60%, 덴마크 58%, 러시아 56% 등이고 멕시코가 26%로 꼴찌를 면했다. 한국은 19%였는데, 예상보다 높아 놀랐던 기억이 있다. 그도 그럴 것이 UN이 발표한 연간 평균 독서량을 보면 미국은 79.2권, 프랑스는 70.8권, 일본은 73.2권인데 비해 우리나라 독서량은 9.6권으로 OECD 국가 중 하위권에 속하기 때문이다. 여행지 숙소에서 책을 읽는 걸 좋아하는 나로서는 독서 말고 또 뭘 할 수 있는지 오히려 다른 답이 궁금해졌다.

아무리 여행 중에 책 읽는 걸 좋아한다고 해도, 한 달씩 떠나는 장기 여행에 책을 수십 권씩 들고 갈 수는 없다. 아이들과 셋이 여행할 때 대략 15킬로그램 정도 짐을 넣을 수 있는 중간 크기 캐리어 두 개를 넘기지 않으니, 가져갈 수 있는 책은 겨우 두세 권 정도다. 완전히 끊는 건 아니니 '금독'이라는 말은 맞지 않지만, 일주일에 대여섯 권씩 읽다가 한 달에 두세 권 정도로 줄이니 여행이 '독서 가뭄'의 시기임에는 틀림없다.

우리나라처럼 사람들이 책을 너무 안 읽는 사회에서는 책을 읽으라고 장려하는 말은 많아도, '독서 금지'나 '금독' '절독'이라는 말은 낯설 수밖에 없다. 그럼에도 금독이나 절독의 장점을 무시할 수는 없다.

첫째, 건강 회복에 도움이 된다. 책을 많이 읽다 보면 목이 불편하고 팔이 저릴 때가 있다. 두꺼운 책을 누워서 읽다 보면 팔꿈치 통증이 생기기도 하는데, 독서량을 팍 줄이면 이런 증상들이 사라진다.

둘째, 글쓰기 무기력에서 벗어날 수 있다. 때때로 쓰는 걸 회피하기 위해 좀 더 쉬운 독서로 달아날 때가 있는데, 읽을거리가 없으면 더 이상 도망갈 수 없다.

셋째, 머리 대신 감각 기관을 더 많이 쓸 수 있다. 책에서 눈을 떼면 다른 걸 보게 되고, 또 듣고, 냄새 맡고 만져보며 평소에 잘 쓰지 않던 감각을 활용해 느껴볼 수 있는 계기가 된다.

이런 장점이 있어 여행을 기회로 독서량을 줄이는데, 그래도 아쉬움이 남아 여행 전 짐을 쌀 때 책 고르는 일에 신중을 기할 수밖에 없다. 장기간 여행할 때 가져갈 책을 고르는 내 기준은 첫째 가벼워야 하고, 둘째 정보보다는 상상력을 자극하는 책이어야 하며, 마지막으로 쉽게 읽히지 않는 책이어야 한다. 이런 기준으로 고르다 보면, 주로 시집과 소설을 고르게 된다.

하이난 섬에서 한 달을 보낼 때도 책 세 권을 신중하게 골랐다.

〈재즈〉는 흑인여성 최초로 노벨문학상을 받은 토니 모리슨의 소설이다. 먼저 읽은 〈빌러비드〉가 워낙 충격적으로 좋아서 〈재즈〉를 고르는 데는 주저함이 없었다. 〈재즈〉는 〈빌러비드〉만큼 술술 읽히지는 않았지만, 그래서 여행과 더 어울렸다.

〈재즈〉에는 '재즈'라는 말이 한 번도 나오지 않는다. 재즈 음악에 관한 소설도 아니다. 대신 소설 전체를 재즈의 즉흥적인 연주 방식으로 구성했다. 소설이 한 곡의 재즈 연주인 셈이다.

"츳, 나는 그 여자를 안다."로 소설이 시작되는데, 도대체 '츳'하고 혀를 차며 말하고 있는 '나'는 누군지 알 수 없다. 마치 재주 연주에서 악기들이 돌아가며 즉흥연주를 하듯, 앨리스나 도카스, 바이올렛, 조 등의 캐릭터가 갑자기 등장해 말을 이어간다. 일관된 주인공이나 화자 없이, 여러 인물이 돌아가며 무대 위에 올라가 마이크를 잡고 독백을 늘어놓다 퇴장한다.

한때 레녹스 애비뉴에서 새들과 함께 살던 여자다. 그 여자의 남편도 안다. 열여덟 살 소녀와, 사람을 죽도록 슬프게도 하고 행복하게도 만드는 그런 깊고 무시무시한 사랑에 빠졌던 그는 단지 그 감정을 영원히 간직하고 싶어서 소녀를 총으로 쏘았다. 그 여자의 이름은 바이올렛인데, 그 소녀를 보려고, 죽은 그 애의 얼굴에 칼질을 하려고 장례식에 갔다가 바닥에 내동댕이쳐지고 교회 밖으로 쫓겨났다. 그러자 그녀는 그 엄청난 눈 속을 뚫고 달려서 자신의 아파트로 돌아와 새장에서 새를 모두 꺼내 창문 밖으로

185

내보내버렸다. 얼어 죽든 다른 곳으로 날아가 버리든 하라고. "사랑해"라고 말하는 앵무새까지도.

더구나 이렇게 남편이 불륜을 저지르던 소녀를 쏴 죽이고, 아내가 장례식 장에서 시체 훼손을 하려 했다는 클라이맥스 장면이 소설 맨 앞부분에 다 나와 버려 독자가 오히려 당황한다. 나머지 부분을 도대체 어떻게 풀어가려고 다 보여 주는 거지? 〈재즈〉는 보통 소설을 읽을 때 갖고 있던 고정관념을 버려야 제대로 음미할 수 있다. 마치 재즈 연주를 감상하듯 읽어야 한다.

이문재 시집 〈혼자의 넓이〉는 전에 읽은 〈지금 여기가 맨 앞〉이라는 시집이 좋았기에 골랐다. 같은 시인의 작품이지만 〈혼자의 넓이〉를 읽을 때 다른 시집이나 에세이와 결이 다르다는 걸 느낄 수 있었다. 시인이 나이를 먹어갈 때, 그 쌓인 연륜이 시에도 드러나는 것이다.

아이들과 함께 하는 여행이라 할지라도 여행은 기본적으로 혼자가 되는 시간이다. 자신에 대해 생각할 시간도 많고 낯선 환경에서 다른 각도로 자신을 들여다볼 수 있다.

오늘도 혼자는 바쁩니다
하고 싶지 않은 일은 절대 하지 않기 위해
하고 싶은 일이 대체 무엇인지 알아라도 보기 위해
어제와 다름없이 열심입니다

(이문재 '우리의 혼자' 일부)

여행 중에는 매일 반복해 오던 일과를 멈출 수 있다. 아무 생각 없이 반복하던 일들을 거리를 두고 바라볼 수 있다. 정말 해야 하는 일인지, 하기 싫은데 억지로 하고 있지는 않은지, 하고 싶지만 망설이고 있는 일은 없는지 알아보기 위해 혼자는 바쁘다.

마지막 시집 한 권은 읽어본 적 없는 시인의 것으로 고르고 싶었다. 김승희 시인의 시집은 처음인데 제목이 시선을 확 끌었다. 단무지와 베이컨의 진실한 사람이라니, 사랑도 아니고.

'태양시인'이라고 불리는 김승희 시인의 시는 마침 태양이 뜨겁게 내리쬐는 하이난 섬에 잘 어울렸다. 시를 읽으며 만나는 태양과 태양의 조각들, 빛의 이미지를 온몸으로 느껴볼 수 있었다. 게다가 처음 읽는 시인의 시들이 쉽게 읽히지 않아 오랜 여행 중 읽기에 그만이었다.

　집에 말할 사람이 콩나물시루밖에 없어요
　콩나물시루에선 까만 보자기 아래로 물이 똑똑 떨어지
죠
　물방울 소리가 똑똑 떨어져 강물의 건반을 누르는 것 같
죠
　까만 보자기를 걷으면 노란 콩껍질에서
　투명하고 환한 콩나물이 소담스럽게 쏟아져요
　변화라는 소중한 두 글자를 생각해요
　희망을 본 거죠
　변화를 위해, 변화를 향해
　그렇게 우리의 대화는 계속 움직이고 있어요

　(김승희 "콩나물을 길러라' 포스트잇' 일부)

　마침 여행 기간 중 2년 동안 함께 했던 아마추어 밴드 '날벼樂'이 해체되었다. 여러 사정으로 멤버 셋이 우르르 탈퇴하며 해체된 것이다. 공연 계획을 세우고 한껏 들떠 있다가 일어난 일이라 결혼식을 앞두고 갑자기 파혼당한 신부 같은 기분이 되었다. 남은 소수의 멤버가 서로를 도닥이며 새롭게 만든 밴드 이름이 마침 'Bean Me Water

(콩나물)'였다. 비록 보잘것없는 작은 콩이지만 자랄 수 있다는 희망을 담은 이름이었다. 시인처럼 '콩나물을 길러라' 포스트잇이 붙어 있는 무거운 냉장고에 매달려 아픈 곳만 생각하다, 콩나물에서 희망과 변화를 본 것이다.

'원하는 대로 살 수 없다면, 그런 세상이 무슨 소용이지?'

'원하는 대로요?'

'그래, 원하는 대로. 지금 사는 삶보다 더 나은 삶을 원하지 않니?'

'그게 뭐 중요한가요? 어차피 내가 바꿀 수도 없는데.'

'바로 그게 문제란다. 만일 네가 삶을 바꾸지 못하면 삶이 너를 바꿔놓을 거야. 그리고 그건 전부 네 잘못이 되지. 네가 그런 일이 일어나게 내버려둔 거니까. 나는 그냥 내버려두었고, 덕분에 인생을 망쳐버렸어.'

'어떻게 망쳤다는 거예요?'

'인생을 잊어버린 거야.'

'잊어버렸다고요?'

'내 것이란 사실을 잊은 거지. 바로 내 인생이라는 걸. 난 내가 아닌 다른 누군가가 되기를 바라며 거리 여기저기를 뛰어다녔어.'

'누구요? 누가 되고 싶었는데요?'

'누구라기보다 어떤 사람이 되고 싶었어. 백인. 밝음. 새
로운 젊음, 뭐 그런 거지.'

(토니 모리슨 〈재즈〉 중)

대부분의 시간은 내가 아닌 다른 누군가가 되기를 바
라며 여기저기를 뛰어다니지만, 아주 가끔은 나 자신이
되기도 한다. 가까운 이들의 시선으로부터 최대한 멀리
달아나려고 발버둥치는 여행을 하는 것도 그 때문일 것
이다.

전혀 다른 세 권의 책을 한 달 동안 천천히 아껴 읽은
후, 그동안 알아채지 못했던 숨은 '나'에 조금 더 다가갔
다. 그리고 조금은 더 나다운 '나'가 되었다.

오늘 죽을까, 내일 죽을까?

〈쓰는 사람, 이은정〉 - 이은정
〈자살에 대하여〉 - 사이먼 크리츨리

오늘 죽을까, 내일 죽을까?

이 문장에 대한 반응은 자살에 대해 어떻게 생각하는지에 따라 확연히 다를 것이다. 누군가는 내가 가끔 하는 생각인데 하고 흠칫 놀랄 테고, 누군가는 자살은 죄라고 이미 단정하며 이런 헛소리는 듣고 싶지 않다고 바로 밀어낼 것이다.

그렇게 밀어내고 없는 듯 지내고 싶어도 한국은 30분에 한 명씩 자살하는 나라다. OECD 국가 중 자살률 1위라는 오명을 갖고 있다. 30분마다 한 명씩 자기 목숨을 끊고 있는데, 우리는 자살에 대한 언급 자체를 금기시하며 마치 그런 일은 없는 듯 살아가고 있다. 불편한 주제지만 자살과 자살충동을 일으키는 우울증에 대해 나눠 보려고 두 권의 책을 골랐다.

〈쓰는 사람, 이은정〉과 〈자살에 대하여〉는 각각 문학 에세이, 철학 에세이다. 두 책의 공통점은 두 저자 모두 자살사고와 싸운 적이 있으며 그걸 극복하기 위해 글을 썼다는 것이다. 하지만 두 권 다 우울하고 어둡게 끝나는 게 아니라 반전이 있다.

이은정 소설가에게 처음 관심을 갖게 된 건 단편소설 집 〈완벽하게 헤어지는 방법〉에 쓴 작가의 말 때문이었 다.

불혹이 되어서야 작가가 되었다. 어디서 얼마나 헤매었는 지는 잘 모르겠다. 나의 존재 자체가 악惡이라고 생각하며 살았던 시간이 무색하게도, 내겐 늦은 행운들이 찾아왔고 아껴두고 싶은 좋은 사람들이 생겼다. 행운이 불러온 사 람들. 그 사람들이 가져온 행운들. 삶이란 끈질기게 기다 리면 차례가 오는 것일까. 쓰는 일을, 삶을 감사하기로 했 다.

나 역시 다른 길을 헤매다 늦게 작가의 길로 들어섰고,

내게도 지우고 싶은 시절이 있었다. 오늘 죽을까, 내일 죽을까 고민하던 시간이. 두 가지 공통점 때문이었는지, 그녀의 인스타를 팔로우하기 시작했다.

〈쓰는 사람, 이은정〉이 출간되기 직전 작가의 인스타 피드에 출간에 관한 근황이 종종 올라왔다. 책을 교정 볼 때만 해도 그녀는 우울증과 공황장애 약을 먹으며 간신히 버티고 있다고 했다. 걱정이 안 될 수 없었다.

초등학생들에게 글쓰기를 시켜놓고, 낙서를 하고 있었다.
"선생님 죽고 싶어요?"
나는 깜짝 놀랐다.
"무슨 말이야? 내가 왜 죽고 싶어?"
순간, 아차 싶었다. 아까 아이가 내 자리에 왔을 때 내가 한 낙서를 보았던 모양이었다. 나는 일부러 소리 내어 웃었다. 그리고 빗소리를 들으며 시를 쓰는 중이었다고 거짓말을 했다. 잠잠해졌던 아이가 내 거짓말에 도저히 속아줄 수 없다는 듯 다시 입을 열었다.
"오늘 죽는 게 나아요. 내일이 되면 죽고 싶지 않을 수도 있거든요."

그때 이은정 작가가 했던 낙서가 '오늘 죽을까, 내일 죽을까?'였다. 아이의 말은 잔인하고 충격적이었지만, 그 아이의 말이 이은정 작가를 살렸을 것이다. '죽자' 쪽으로 기울어가던 추를 '살자' 쪽으로 조금 이동시켜 줌으로. 겨우 초등학생 아이와의 짧은 대화가 그녀가 살 수 있도록 도운 것처럼, 자살에 대해 좀 더 자유롭게 이야기할 수 있는 기회만 많아져도 실제 자살에 이르는 사람은 줄어들지 모른다. 그런 생각으로 쓴 책이 〈자살에 대하여〉다.

사이먼 크리츨리는 뉴욕 뉴스쿨 철학과 교수다. 철학자가 자살에 대해 쓴 책이니 당연히 학문적으로 접근할 거라 생각했는데, 저자는 '자살은 조금도 학문적인 문제가 아니다'라는 말로 책을 시작한다.

구체적으로 어떤 사정이 있었는지는 언급하지 않았지만, 크리츨리는 자신의 삶이 '뜨거운 차 속의 설탕처럼 사라져버렸'고, 자기 연민, 자기혐오와 복수심, 자기 파괴에 대한 다양한 환상 등 자살사고와 싸우게 되었다고 한다. 우울한 철학자는 자신이 아는 유일한 방법을 통해 자살사고를 극복해 보려고 했는데, 그 유일한 방법이 바로 글쓰기였다. 그는 고향으로 가 인근 바닷가에 호텔방을 하나 빌려 바다를 바라보며 자살에 대한 글을 쓰기 시작했다.

우리가 죽어감에 가장 가까이 다가갈 수 있는 방법은 글쓰기를 통해서일 것이다. 글쓰기는 삶으로부터의 작별이며, 세계의 일시적인 유기이면서 사물을 더 명확하게 보기 위한 작은 집착이라는 점에서 그렇다. 글 쓰는 사람은 삶을 더 냉정하게 보기 위해 거리를 두면서도, 더 가까이 보기 위해 삶에서 한 걸음 물러나 밖으로 나간다.

크리츨리는 죽음을 결정하기 전에, 우선 죽음에 가까이 다가가 보기를 권한다. 죽음에 가장 가까이 다가갈 수 있는 방법은 글쓰기라고 믿으며, 글을 통해 죽음을 가까이 들여다보기 시작했다.

크리츨리는 자살 하면 떠오르는 생각들이 어떤 게 있는지 열거하며 그 하나하나가 어떤 맹점이 있는 지를 보여준다. 자살을 죄악으로 보고 자살 금지를 명하는 기독교적 한 극단과 자살을 찬성하는 듯 보이는 반대쪽 극단의 주장까지 두루 살피고 각각의 문제점을 비판한다.

책에서 다양한 자살 개념에 대해 읽던 중 질문 하나가

호기심을 끌었다.

사람들이 총기로 심장 대신 머리를 쏘아 자살하는 이유는?

그러고 보니 총기 사용이 허용된 나라에서 자살 장면을 묘사할 때 많이 등장하는 장면이 권총으로 자신의 관자놀이를 겨누는 장면이었다. 복수나 응징, 항의, 희생 등 다양한 자살 개념이 있지만, 자신의 머리를 쏘는 사람들은 대부분 '살인'으로서의 자살을 시도한 것이라고 한다. 자신을 노예로 만든 그 '형편없는 주인'을 죽이고 싶어, 자신에게 형편없는 명령을 내리는 명령자를 쏘는 것이라고.

크리즐리가 스스로 자살사고와 싸우기 위해 이 책을 쓰기 시작했지만, 이 책을 쓴 더 큰 목적은 자살을 자유롭게 이야기할 수 있는 장을 만들고 싶어서였다. 그는 "자살을 둘러싼 어휘를 넓히고, 그 현상을 기술하고 이해할 더 많은 단어를 찾"고 싶었다고 말한다.

자살은 한번 해보고 다시 되돌리거나 결정할 수 있는 성질의 것이 아니다. 심지어 이미 경험한 선배들의 조언을 들을 수도 없다. 따라서 자살에 한 가지 정답은 있을 수 없다. 하지만 자살에 대한 다양한 생각을 서로 이야기

할 수 있는 장이 많이 마련되는 것만으로도 자살은 훨씬
줄어들 수 있다고 믿는다.

폴 고갱의 그림에 많이 등장하는 남태평양의 지상낙
원 타히티 섬. 타히티 섬의 언어에는 슬픔을 표현할 수
있는 단어가 없다고 한다. 아픔과 곤란, 피곤, 시큰둥함
모두 '독감에 걸렸을 때 느끼는 피로'로 해석되는 '페아페
아'라는 단어로 표현한다. 우리가 지상낙원이라 부르는
그 아름다움 섬에 자살률이 높은 건 어쩌면 슬프고 아플
때도 그걸 표현할 언어가 없기 때문은 아닐까. 언어로 표
현해내지 못한 고통을 다른 누군가에게서 공감받거나 위
로받을 수는 없을 테니까.

사춘기에 들어간 아이가 '고통 없이 죽는 방법'을 검
색해 캡처해 둔 사진을 발견했다. 놀라서 그게 뭐냐고 물
었다. 아이는 친구가 찾아 보내준 거라며 대화를 피했다.
여섯 살 때부터 매일 성경을 읽은 아이니, 어쩌면 자살에
대해 이야기하는 것마저 금기라고 생각했을지 모른다.
며칠 후 대화 중 감격이 격해지자, 아이의 입에서 "죽고
싶다"는 말이 튀어나왔다. 그때 만약 내가 자살이 죄라
는 식의 말을 했다면, 아이와의 대화는 거기서 끊어졌을

것이다. 나는 대신 젊은 시절 내가 겪은 자살 충동에 대해 이야기했다. 그걸 흘려보내기까지 내가 했던 노력이나 생각, 행동 등에 대해서도 솔직히 말했다. 죽고 싶다는 생각이 들도록 만든 상황에 대해 아이가 여러 각도의 시선으로 볼 수 있도록 돕고 싶었다. 대화는 길어졌지만, 심각했던 아이가 갑자기 뭔가를 깨달았는지 웃음을 터뜨렸다. 아마 자신이 빠져 있던 생각의 맹점을 발견한 것이었으리라. 아이와의 대화는 크리츨리가 〈자살에 대하여〉를 쓰면서 했던 작업의 짧은 버전이라고 할 수 있을 것이다.

도덕적 판단이나 쉬쉬하는 분위기, 두려움… 이런 것들을 다 걷어내고 자살에 대해 좀 더 자유롭고 자연스럽게 이야기를 나눌 수 있는 사회 분위기가 형성되길 바란다. 특히 10대를 포함해 젊은이들의 자살이 늘고 있는 요즘, 누군가와 제대로 이야기만 나눌 수 있어도 얼마나 많은 생명이 살 수 있을까 생각하면 가만히 앉아 있을 수 없다. 길거리를 다니며 지나가는 사람을 붙잡고 "도를 아십니까?" 대신 "자살을 아십니까?"라는 질문이라도 건네야 할까.

우울감이나 공황장애, 자살사고를 가진 사람과 마주

치면 깨지기 쉬운 유리그릇을 다루듯 조심스러워진다. 두렵고 떨리는 마음으로 〈쓰는 사람, 이은정〉을 읽어나 갔다. 그리고 첫 에세이부터 보기 좋게 배신을 당했다. 즐 거운 배신. 잔뜩 졸였던 마음과 긴장이 그제야 스르르 풀 렸다.

이은정 작가가 집을 보러 다니다가 작은 집이 마음에 들었는데, 임대가 아닌 매매로 나온 집이었다. 비록 어촌 의 낡은 집이었지만, 살 수 있는 형편은 되지 않았다. 혹 시나 하는 마음에 은행 대출을 알아보러 갔지만, 대출이 불가능했다. 어차피 거래가 되지 않을 거니 그냥 집으로 돌아가도 되었을 텐데, 작가는 그 집주인 아주머니에게 굳이 돌아가 대출이 어려워 계약이 불가능하다는 사정을 설명했다. 대부분의 사람들은 설명도 없이 나타나지 않 는데, 거래하지 못하게 된 상황에도 돌아와 설명해 준 그 녀의 예쁜 마음을 보고 집주인이 집을 내어준다.

기적은 몸과 마음을 예쁘게 부리는 작은 습관 속에서 조 용히 찾아온다.

그녀는 그 집을 얻어 살며, 그 집에서 쓴 글이 당선되 어 그토록 원하던 소설가가 되었다. 그녀의 말대로 다정한 눈동자와 목소리, 예쁜 미소, 가난이나 결함에 솔직해지는 연습 등 '몸과 마음을 예쁘게 부리는 작은 습관'이 기적을 부른 것이다.

이은정 작가의 인스타에 종종 등장하는 반려견 장군이에 관한 이야기도 책을 통해 들을 수 있었다. 장군이를 입양한 지 얼마 안 되어 작가의 온몸에 붉은 반점이 생겼다. 놀라서 병원에 가니 개털 알레르기라고 했다. 주위 사람들은 모두 개를 버리라는 말을 에둘러했다. 하지만 그녀는 알레르기 약을 먹고 바르며, 장군이와 함께 했다. 책임을 회피하지도 않고, 자신의 고통에서 달아나지도 않은 채 천천히 그 고통과 맞선 것이다. 결국 그녀를 괴롭히던 알레르기가 사라졌다. 장군이와 함께 지내면서 면역력이 생긴 것이다.

글도 좋았지만, 이 책을 읽고 나는 '이은정'이라는 사람을 사랑하게 되었다. 여전히 자주 울고 이런저런 약을 복용하고 있겠지만, 그녀의 삶에 대한 이런 사랑스러운 태도가 더 많은 행운과 기적을 가져다줄 거라 굳게 믿는다.

"살아주셔서 감사합니다, 작가님!"

'자살할 만한 이유가 없는 사람은 없다'는 체사레 파베세의 말처럼, 우리 모두 정도는 다르겠지만, 자살에 대해 생각한다.

"뭐가 그리 급하죠? 자살은 언제든 원할 때 할 수 있잖아요. 진정하세요!" (에밀 시오랑)

우리에게는 언제든 죽을 수 있는 자유가 있다. 그러니 서두르지 말고, 천천히 함께 이야기도 나누고 글도 쓰면서 좀 더 생각해 보면 어떨까.

오늘 죽을까, 내일 죽을까?
일단 내일로 미루자.
내일이 오면 어쩌면 죽고 싶던 마음이 사라질 수도 있을 테니.

사랑의 적당한 길이와 무게는?

〈아이 틴더 유〉 – 정대건
〈당신의 노후〉 – 박형서

요즘 사랑은 짧고 가볍다는 이야기를 종종 듣는다. 문득 이런 질문이 들었다. 사랑은 도대체 얼마나 길고 무거워야 하는 걸까? 소설책 두 권을 읽으며 사랑의 길이를 자로 재고 사랑의 무게를 저울에 달아보기로 했다.

〈아이 틴더 유〉는 주로 젊은 작가들의 짧은 단편 세 편씩을 모아 작가의 작품 세계를 보여주는 트리플 시리즈 중 하나다. 정대건 작가는 2020년에 등단한 소설가로 그전에 10년 정도 영화 시나리오를 쓰고 연출을 했다. 그래서인지 소설에 영화계에 일하는 인물들이 등장한다.

틴더(Tinder)는 불쏘시개를 뜻하는 영어 단어로,

2012년에 개발된 데이팅 앱이다. 제공되는 정보는 사진, 이름, 나이, 아주 짧은 프로필이 전부다. 페이스북 계정으로만 로그인할 수 있어 나이와 이름을 속이기 어렵다는 장점이 있다. 접속하면 주변 틴더 사용자들이 뜨는데, 프로필을 왼쪽이나 오른쪽으로 밀면서 상대를 고르는 걸 '스와이프[4]'라고 한다. 두 사람 모두 오른쪽으로 스와이프 하기 전까지는 대화할 수 없다. 전 세계의 1일 스와이프 횟수는 이미 30억 건을 넘어섰다. 2019년 현재 스마트폰에서 가장 많이 결제한 앱은 유튜브 (5위), 텐센트 (3위), 넷플릭스 (2위) 등을 제치고 틴더가 1위다.

틴더로 만나 결혼한 커플도 물론 있지만, 틴더 사용자의 대략 80% 정도는 섹스 파트너나 가벼운 상대를 찾는 경우라고 한다. 진지한 만남을 원하는 경우에는 특별히 프로필에 표시하기도 하지만, 그런 사람은 많지 않다.

'184 76 32'/ 키, 몸무게, 나이만 적혀 있는 프로필. 집에서 2km 떨어져 있던 호와 틴더에서 매칭된 건 지난밤이었다. 몸이 좋은 타입은 아니었는데 쌍꺼풀 없는 눈에 고른 치열이 마음에 들어서 '라이크'를 눌렀다. 메시지를 주고받아보니 영화를 한다고 했다. 틴더에는 어쩜 그렇게 예술

---

4) 오른쪽으로 스와이프 하면 좋아요(Like), 왼쪽으로 스와이프 하면 거절(Nope)을 뜻한다

가 지망생들이 많은지, 절반이 예술가 지망생 아니면 금융
맨이다.

'21세기의 로맨스'라고 부르는 틴더의 가장 큰 장점으로 무작위성을 꼽는다. 보통은 집, 학교, 직장 등 주위에서 사람을 만나게 되는데, 틴더는 생활과 취향의 범위를 벗어난 누군가와 만날 수 있는 기회를 제공해 준다. 때로는 비효율적이고 조금 위험한 데이트가 될 수도 있겠지만 나와 전혀 다른 이를 만날 수 있다는 점에서 신선하다.

애착을 가졌던 누군가 떠나고 떨어져 나가는 건 아무리 반복해도 익숙해지지 않았다. 쉽게 만나고 쉽게 헤어질 수는 있지만, 어떤 관계를 유지하는 건 어려웠다. 이제 나는 붙였다 뗐다를 많이 해서 접착력이 떨어진 칫솔걸이 같았다.

처음부터 가벼운 관계를 찾은 건 아니었을 것이다. 사랑을 하다 보면 아프다. 몇 번 헤어지고 아프고 상처받으면서 점점 가볍고 느슨한 관계를 찾게 된다. 김보경 문학평론가가 쓴 해설에 가벼움을 이렇게 설명하고 있다.

이 가벼운 친밀성의 핵심은 서로를 구속하는 미래에 대한 기대나 약속 없이 현재 마주한 상대와 가능한 최대치의 쾌락을 주고받는 데 있다.

심리학자 스턴버그의 사랑의 삼각형 이론이 떠올랐다. 스턴버그에 따르면 사랑은 1) 친밀감, 2) 열정, 3) 헌신이라는 세 가지 요소로 구성되어 있고, 이 요소의 균형 상태에 따라 다양한 형태의 사랑을 설명할 수 있다. 주로 우리가 가벼운 사랑이라고 할 때는 열정만 있거나 열정과 친밀감이 있고 헌신이 없는 경우다. 스턴버그는 세 가지 요소가 균형을 맞출 때 성숙한 사랑이 된다고 했지만, 비혼과 비출산을 원하는 이들이 늘고 있는 요즘 세 요소의 균형을 맞춘 사랑은 점점 더 어려워지고 있다.

내가 너의 세컨드라고 생각하면 별론데 서로의 스페어라고 생각하니까 오히려 든든해.

틴더에서의 만남은 대부분 가벼운 관계라고 생각하기에 한 사람과 만나는 동안에도 틴더를 통해 새로운 사람을 만나는 경우가 많다. 나도 그러면서 상대방이 그러는 걸 알아챌 때 가슴이 아프다. 내가 헌신하지 않으니 구속할 자격은 없지만, 상대방이 다른 사람을 만나는 걸 알면 상처를 받는다. 아무리 서로를 구속하지 않고 가볍게 만난다 해도 이건 사랑이 아닐까. 질투는 분명 사랑할 때 나오는 반응이니까. 헌신이라는 변이 짧은 길쭉한 삼각형의 사랑.

내게 '아이 틴더 유'가 '얼마든지 네게서 사라질 수 있다' 라면, 호에게는 '아이 틴더 유'가 어쩌면 나와 잘 맞는 사람을 만날 수 있을 거야'라는 낭만적인 말일 거였다. 여전히 그곳에서 무언가를 찾는지, 이제는 잠들기 전에 울지는 않는지, 정말로 호가 잘 맞는 누군가를 만났으면. 새벽 2시, 앱에 뜬 수천 명의 사람 중에 대체할 수 없는 나의 스페어, 나의 친구 호는 이제 나로부터 17km 떨어져 있다.

기대나 구속, 약속이 없어 스페어라고 부르지만, 대체 불가능하다는 사랑의 속성을 갖는 상대. 사랑이라는 말을 꺼내지 않았어도 둘이 함께 했던 시간들이 쌓이며 대체 불가능한 특별함을 만든다. 앞으로 "아이 러브 유"는 점점 사라지고 "아이 틴더 유"만 남게 될지 모르지만, 짧고 가볍다고 해서 사랑이 아니라고 할 수 있을까.

〈아이 틴더 유〉 주인공들이 2,30대라면, 〈당신의 노후〉 주인공들은 70대. 두 사람의 결혼 기간만 40년이 넘으니 상대적으로 '긴' 사랑이라고 할 수 있다.

〈당신의 노후〉는 2031년, 가까운 미래를 배경으로 한다. 80대 이상 노령 인구가 전체의 40%에 육박하고, 노인 세대와 청년 세대 간 갈등이 격화된 상황이다. 주인공 장길도는 70살이 되어 국민연금공단에서 막 퇴직을 한 상태다. 그는 20대 말 복학했을 당시 교양 과목 강사였던 한수련을 사랑했다. 그녀와 결혼해 40여 년 내내 행복했다. 그보다 9살 많은 아내가 요양병원에 입원 중인데, 노령연금 100% 수령을 축하한다는 메시지를 받는 걸 보고 기겁을 한다. 결혼 기간 내내 장길도는 아내에게 절대 국민연금에 들지 말라고 신신당부를 했는데, 아내가 노후를 위해 몰래 국민연금을 들었던 것이다.

물론 현실에서는 절대 그런 일이 없겠지만, 소설 속에서 국가가 경제적으로 노령 인구를 부양하는 게 불가능해지자 국민연금공단에 특수 업무를 이행하는 외곽부서를 둔다. 장길도는 지난 40년을 바로 그 외곽부서에서 일했다. 그 부서가 하는 일은 노령연금을 100% 수급하는 노인들을 '처리'하는 것이다. 그들은 처리를 할 뿐, 절대 살해라는 말을 쓰지 않는다. 살해라는 말 대신 가능성을 높인다는 말을 선호한다. 처리 작업을 자살이나 자연사, 사고사 등으로 위장하는 게 처리 자체보다 중요하기 때문이다.

막 퇴직한 장길도의 옛 직장 동료들이 장길도가 사랑하는 아내를 살해하도록 파견된다. 소설은 이를 막으려는 장길도의 분투와 좌절을 그리고 있다. 아내를 지키기 위해 옛 동료들과 대결하는 사이사이 다양한 노인의 죽음이 마치 신문의 사건 기사처럼 짧게 등장하는데, 전반부의 죽음들은 주인공 장길도와 그 동료들이 처리한 죽음이고, 후반부는 그들 자신의 죽음이다. 처음에는 연관성을 짐작도 하지 못하고 읽어나가다 뒤에 가서 무릎을 치게 만드는 소설로, 영화화해도 좋을 만큼 구성이 탄탄하고 이야기 전개가 흥미롭다.

〈당신의 노후〉는 사랑 자체보다는 노령화 사회의 문제와 갈등을 다룬 작품이다. 하지만 읽는 내내 장길도가 아내를 사랑하는 방식에 눈길이 갔다. 40년 간 수많은 노인을 죄책감 없이 잘 처리해 왔던 그가 이제는 반대로 사랑하는 이를 지키기 위해 자신이 헌신했던 국가와 싸운다. 아내를 살리려고 분투하는 과정에서 그는 아내와의 추억을 떠올린다.

하루는 아내가 문득 사과가 먹고 싶다고 했다. 바람이 살갗을 예리하게 저미던 어느 겨울이었다. 장길도는 눈이 펑펑 오는 밤길을 다섯 시간에 걸쳐서 40km나 뛰었다. 그렇게 뛰어 결국 파란 사과 두 알을 구해 아내에게 바쳤다. 새벽 세 시에 눈을 비비며 일어난 아내는 생글생글 웃으며 그 두 알을 단숨에 먹었다. 하나 먹어보라는 말도 없이.

(…)

고꾸라진 게 방금 전이었지만 어쩐지 달려가는 두 다리에 새로운 힘이 생겨난 것 같았다. 이대로는 차 따위를 몰 거 없이 밤새라도 달릴 수 있을 것 같았다. 수련 씨가 오늘은 뭘 먹고 싶어 할까? 실은 그날 사과 두 알을 전부 먹어줘서 고마웠다. 한 입이나마 직접 먹어보자고 그 먼 길을 달린 게 아니었으니까. 땀에 젖은 그 두 알의 사과를 씻지도 않고 남김없이 먹어주어서 진심으로 기뻤다.

사랑하는 사람이 바라는 것도 내가 줄 수 있는 것도 겨우 사과 두 알뿐이다. 하지만 겨우 사과 두 알을 구하기 위해 눈이 펑펑 내리는 밤길을 다섯 시간씩 달리기도 하고, 사랑하는 이가 사과를 맛있게 먹는 모습을 보기 위해 자기 목숨을 걸기도 하는 게 사랑이 아닐까?

사랑의 정의는 아마 이 세상에 있는 사람 수만큼이나 많을 것이다. 이런 게 사랑이다 아니다 판단하는 것도 쉽지 않다. 그저 누군가를 사랑하는 동안에는 새파란 사과 두 알을 남김없이 먹어치우는 그런 사랑이면 좋겠다. 장길도와 한수련처럼 40년 이상 이어가든, 호와 솔처럼 짧게 스쳐가든….

읽고 쓰는 일의 통(痛)과 쾌(快)

〈쾌락 독서〉 - 문유석
〈글쓰기 공작소〉 - 이만교

발레다, 밴드다 이것저것 산만하게 하며 살고 있지만, 뭐 하는 사람이냐, 묻는다면 읽고 쓰는 사람이라고 답할 것이다. 읽고 쓰는 일의 고통과 즐거움을 저울질해 보자면, 다행히 즐거움 쪽으로 기운다. 물론 그래서 매일 읽고 쓰는 거겠지만.

책 읽기는 다양한 모양과 맛의 초콜릿이 골고루 들어 있는 종합초콜릿세트 같다. 오늘은 무엇을 고를까 행복한 고민을 하게 만든다. 그런가 하면 글쓰기는 카카오 90% 이상의 달콤쌉싸름한 다크초콜릿이다. 그 쌉쌀함이 초콜릿의 매력이기는 하지만 때로는 너무 써서 뱉고 싶어질 때도 있다.

〈쾌락 독서〉는 이름에서 드러나듯 책 읽기의 즐거움, 곧 쾌락에 대해 쓴 에세이다. 문유석 작가는 〈개인주의자 선언〉이라는 책으로 처음 만났다. 그 책을 읽으면서 '우리나라 판사 중에 이런 생각을 하는 판사가 있다는 게 참 마음이 놓인다' 했는데, 문유석 판사는 2020년에 법복을 벗고 전업 작가가 되었다. 그가 대본을 쓴 드라마 〈악마 판사〉는 현장을 누구보다 잘 아는 전직 판사가 썼기 때문인지 많은 인기를 누렸다.

이 책에 등장하는 책들은 '추천도서'나 '필독도서'가 아니다. 누구 마음대로 '필독'이니? 난 '필'자만 들어도 상상력이라고는 하나도 없어 보이는 완장 찬 사감 선생이 고리타분한 책을 코앞에 억지로 들이미는 느낌이 든다.

독서란 원래 즐거운 놀이라고 말하는 저자는 필독이나 추천 도서에 대한 반감을 노골적으로 드러낸다. 나 역시 읽고 좋았던 책을 소개하지만, 추천은 하지 않는다. 같은 이유 때문이다. 누구 마음대로 추천이니? 고리타분하게.

고3 때 오히려 짬날 때마다 전투적으로 책을 읽은 것 같다. 인간 심리라는 것이 묘해서 가장 바쁠 때 오히려 여가에도 독서나 운동, 글쓰기 등 생산적인 일을 하게 되고, 한 가할 때는 그냥 소파에 늘어져 티브이만 보게 된다. '상대적 선호의 법칙'이랄까, 지금 해야 하는 일이 하기 싫을수록 그 외의 모든 일들이 평소보다 훨씬 재미있게 느껴진다.

책을 읽지 못하는 가장 큰 이유로 '바쁘다' '시간 없다'를 꼽는 경우가 많은데, 사실 바쁠 때 짬을 이용해서 책을 읽을 때 얻는 쾌감이 있다. 시간 때우기 위해 책을 읽을 때는 읽는 이의 마음도 늘어진다. 반대로 바쁜 가운데 잠깐의 틈을 이용해 책을 읽으면 바짝 마음을 조인 탓인지 읽은 내용도 머리에 쏙쏙 들어오고, 그 맛은 탄수화물을 금할 때 한 조각 먹은 케이크처럼 지극히 달콤하다. 특히 원고 마감을 앞두고 글을 쓰는 대신 도피하듯 책을 읽을 때 느끼는 쾌감은 경험해 보지 않은 사람은 절대 이해할 수 없을 것이다.

문유석 작가는 평생 책 읽는 걸 놀이로 여기다 많은 책을 읽게 되었고, 결국 책으로 놀기의 '끝판왕'이라 할 수 있는 직접 책 쓰기에 이르게 되었다. 이렇게 재미있는 놀이를 평생 매일 할 수 있다면 얼마나 좋을까. 작가가 법복을 벗고 전업 작가가 되기로 결정했을 때 어쩌면 이런 생각을 했을지 모른다. 하지만 현실은 달랐다. 전업 작가가 된 후부터 오히려 글을 쓸 때 즐거움을 느끼기보다 스트레스를 받기 시작했다. 판사가 본업이었을 때는 글쓰기가 그야말로 놀이일 뿐이었지만, 작가가 직업이 되고 글 쓰는 게 일이 되자 글 쓰는 일이 예전처럼 재미있지만은 않게 된 것이다. 잠시 딴짓하듯 글을 쓰는 게 아니라 하루 종일 일정 분량을 써내야 하니 스트레스는 늘고 재미는 줄어들었을 것이다.

"엄마는 왜 재미있는 놀이를 자꾸 재미없는 공부로 바꾸려고 해요?"

언젠가 아이가 했던 질문이다. 아기 때부터 물을 좋아해 물속에서 제멋대로 헤엄치는 아이에게 수영 수업을 시켰다. 스마트폰으로 촬영한 걸 제 맘대로 편집하는 아이에게 영상 편집 수업을 권했다. 혼자 기타 치며 노래를 만들어 흥얼거리는 아이에게 작곡 수업을 해보라고 했다. 아이가 좋아하고 잘하는 걸 이왕이면 더 잘할 수 있도록 돕고 싶은 마음이었지만, 아이 말을 듣고 보니 아이의 즐거움과 흥미를 오히려 반감시키고 있었던 셈이다. 작곡이든 글쓰기든 필요나 쓸모를 따지지 않고 그저 즐거움을 위한 나만의 놀이가 있다는 건 누구에게나 큰 행운이다.

〈쾌락 독서〉가 책 읽기의 즐거움을 종합 초콜릿 세트처럼 다양하게 보여줬다면, 〈글쓰기 공작소〉는 다크초콜릿 같은 글쓰기의 달콤하고도 씁쓸한 매력에 대해 잘 보여준다. 글을 쓰기 시작하면서 좋은 글을 쓰고 싶은 갈증에 글쓰기에 관련된 책을 많이 사보았다. 물론 글쓰기 책을 많이 읽는다고 글을 더 잘 쓰게 되는 건 아니다. 게다가 정말 도움이 되는 책은 손에 꼽힐 만큼 적고 대부분은 비슷비슷한 이야기가 반복된다. 어느 순간부터는 글쓰기 관련한 책을 잘 사지 않게 되었는데, 이은정 소설가가 격찬을 한 글을 보고 〈글쓰기 공작소〉를 읽게 되었다.

이만교 작가는 〈결혼은 미친 짓이다〉로 2000년에 오늘의 작가상을 수상했다. 〈결혼은 미친 짓이다〉는 2002년에 영화로 개봉되기도 했다. 베스트셀러 소설 후 후속작이 그에 미치지 못했을 때 작가 나름의 깊은 고민의 시간이 있었을 것이다. 어쩌면 그런 고통의 시간이 있었기에 글쓰기 공작소를 운영하며 글을 쓰고 싶어 하는 이들에게 글쓰기를 가르칠 때 누구보다 진지하게 임할 수 있었을 것이다.

글을 쓰지 못하면서 글쓰기를 가르치다니, 한편으로 생

각하면 말도 안 되는 모순이었다. 솔직히 이 무렵 글쓰기에 대해 내가 알고 있는 거의 유일한 진실은 '어떻게 해야 좋은 글을 쓰는지 나도 모른다'라는 사실 뿐이었다. 하지만 아이러니하게도, 좋은 글을 쓰는 방법에 대해 나 자신부터 무지하다는 절급한 자각이야말로 글쓰기를 가르치는 가장 좋은 밑천이 되어 주었다. 좋은 글쓰기 방법을 탐색하고 싶은 절박한 마음으로, 다른 어느 때보다 글쓰기 문제를 진지하게 고민하고 열의를 다해 강의에 임했던 것이다.

써지지 않는 고통, '작가의 벽(Writers' wall)'을 직접 겪어봤기에 글쓰기를 배우려는 학생들과 더 잘 공감할 수 있었을 것이다. 그냥 뭐든 마음만 먹으면 술술 써진다는 작가한테 우리가 뭘 배울 수 있겠나. 역시 나는 안 되는 거구나, 하는 절망뿐이겠지.

작가의 벽과 맞닥뜨려 외롭고 힘들게 글을 쓰고 또 글쓰기 수업을 했지만, 이만교 작가도 문유석 작가와 마찬가지로 글쓰기의 즐거움에 대해 강조했다.

글쓰기를 공부하면서 스스로에게 그리고 우리 학생들에게 우선 바란 것은 등단 따위가 아니었다. 보다 좋은 글을 쓰려고 고민하고 노력하는 과정 자체로서, 보다 강렬하게 살맛나는 상태를 지향했으면 싶었다. 그래야만 즐겁게 글을 쓰고 있고, 최선을 다해 글을 쓸 수 있고, 자유롭게 글을 쓸 수 있고, 꾸준히 글을 쓸 수 있다.

결국 글쓰기는 스킬 몇 개 배운다고 해서 되는 게 아니었다. 삶 자체가 강렬하게 살맛나는 상태가 되어야 한다. 문장을 갈고닦으면 삶도 변화하고, 삶이 변하면 글도 그만큼 발전한다. 글쓰기는 새로운 각도의 삶을 인식하고 실천하는 평생을 건 싸움일 수밖에 없다.

〈글쓰기 공작소〉를 읽는 동안 글 쓰는 법에 대해 새롭게 배운 내용은 없을지 모른다. 대신 나를 들여다보게 되었고, 두 가지 사실이 내 머리를 때렸다.

첫째, 내 꿈을 내가 정확히 모르고 있다는 것.

꿈과 현실은 다를 수는 있지만 분리될 수는 없다. 가령 사진작가를 꿈꾸는 샐러리맨이 있다면 그는 틈나는 대로 사진과 관련된 정보를 탐색할 것이다. 인터넷을 뒤져 보고 동호회에 가입하고 강의를 들어 보는 것은 물론, 무수한 사진을 직접 찍고 현상해 볼 것이다. 그리고 마침내 전시회를 열고자 애쓸 것이다. 만약 동호회에 가입하는 정도에 머문다면 그는 엄밀히 말해 '사진작가'를 꿈꾼 것이 아니라 '사진작가를 꿈꾼다면서 동호회 활동으로 만족하는 사람'을 꿈꾼 것에 불과하다. 그가 만약 한 번의 전시회로 만족한다면 그는 '한 번의 전시회로 만족하는 사진작가'를 꿈꾼 것이 틀림없다. 그렇지 않고서야, 어떻게 거기서 그대로 멈출 수 있겠는가.

소설가가 되고 싶다고 말하지만, 내 꿈은 엄밀히 말해 적당히 출간 몇 번 하고 작가랍시고 휘젓고 다니면서 이것저것 산만하게 하는 삶이었던 것이다. 인정하고 싶지 않지만, 지금 내 삶의 모습이 드러내 주고 있다.

둘째, 나는 자신에게 솔직하지 못하다는 것.

무릇 필부필녀가 아닌 예술가 혹은 자유인으로 살아가려면, 다른 사람들에게 나쁜 의도로 거짓말하거나 사기를 치기 이전에 자기 자신에게 거짓말하거나 사기를 치고 있지나 않은지 스스로 점검해 보아야 한다.

악플이 달릴 만한 글을 쓴 적이 없다. '아내의 친한 친구임에도 이혼녀가 되자마자 걸떡대는 사내'의 에피소드를 담은 콩트 한 편[5]이 유일하게 악플을 받았다. 겨우 악플 몇 개 받고 울기도 많이 울었다. 속에 쌓인 이야기들을 풀어내고 싶어 글을 쓰기 시작했는데, 정말 하고 싶었던 이야기는 단 하나도 꺼내지 못했다. 눈치를 봐도 너무 보는 것이다. 적당히 남들이 하는 이야기 선에서 경계를 넘지 않도록 끊임없이 수위조절을 하면서….

가장 갑갑한 구제불능의 글은 별다른 결점이 눈에 띄지 않는, 그러나 하나의 기지조차 보이지 않는 매끈하게 다듬 어지기만 한 글이다. 매끈하지는 않지만 한 구절이라도 살아서 반짝이는 문장이 좋다.

처음부터 꿈이 그랬던 건 아니었다. 글을 쓰면서 실질적 정직을 유지하지 못하면서, 글에 대한 열정을 잃고 꿈도 변질된 것이다.

두 가지 문제를 돌파하지 못한다면, 결국 저자가 말한 '가장 갑갑한 구제불능의 글'밖에는 쓰지 못할 것이다. 그래도 괜찮겠느냐고 스스로에게 물었다. 아무 답도 하지 못한 채 눈물만 나는 건 왜일까.

처음에는 다르다는 사실을 드러내지 않으려고 조심스레 몸을 숨긴 것뿐이었는데, 이제 '나'는 흔적도 없이 사

---

5) https://brunch.co.kr/@yoonsohee0316/544

라져 버렸다. 두루뭉술한 인간 하나가 나인 척하며 살고 있는데, 이제는 그게 나인 것만 같아 나 자신조차 진짜 나는 어땠는지 까맣게 잊고 말았다. 어떻게 해야 나를 다시 찾을 수 있을까. 나를 찾기 위해 내가 시도해 볼 수 있는 방법도 결국 글쓰기가 아닐까.

이렇게 시니컬하게 자아비판한 글을 보고 걱정이 되었는지 독자 한 분이 긴 글을 보내 주었다. 〈여백을 채우는 사랑〉을 읽고 바쁜 삶 속에서 멈추고 삶을 돌아볼 수 있었다면서, 지금 그대로의 나도 충분히 멋있다고 말해 주었다. 진심으로 감사했다.

내가 원했던 것도 자학은 아니었다. 그저 글을 쓰기 시작했을 때의 초심을 되찾고 현재 상태를 정확히 점검해 보는 시간을 갖고 싶었을 뿐이다. 처음부터 그랬던 건 아니었으니까. 처음 글을 쓰기 시작했을 때 아무도 모르게 혼자 쓰면서 은밀한 즐거움을 누렸었다. 눈 뜨자마자 전날 쓰던 글을 이어서 고민하고 밤에는 그 뒤에 어떻게 이어 쓸까를 고민하며 잠이 들었다. 심지어 새벽기도의 자리에서 소설 속 주인공을 어떻게 하면 좋을까 하나님께 묻기도 했다. 저자가 '전념'이라고 표현한 '몰입'이 있었던 것이다.

앞으로도 엄청난 이변이 있지 않는 한 읽고 쓰는 삶을 계속 살 것이다. 그걸 일이라고 여기기보다는 놀이라 여기며 즐거움을 잃지 않기 위해 내 꿈을 좀 더 소중히 다룰 필요가 있다. 결국 놀이의 핵심은 쓸모없음이니, 아무 짝에도 쓸모없다고 여겨질 때도 괜찮다고 스스로를 다독이면서.

삶이 레몬을 건네면

〈루스 아사와, 무엇이든 그녀의 손길이 닿으면〉
- 매릴린 체이스
〈그림, 눈물을 닦다〉 - 조이한

중국에서는 유튜브, 페이스북, 인스타, 구글뿐 아니라 우리나라 사람들이 즐겨 쓰는 네이버, 카톡 등을 사용할 수 없다. 중국 정부가 외국의 주요 사이트들을 차단했기 때문이다. 통계 조사를 보니 13세 이상 100명 중 페이스북 계정이 있는 사람이 중국은 0.1명이 안 된다. 대부분의 중국 국민들은 정부가 차단한 해외 사이트를 이용하지 않는다는 말이다. 불편을 느끼는 건 중국에 사는 외국인들, 나 같은 이들뿐이다. 결국 다양한 VPN[6] 서비스를 이용할 수밖에 없다. VPN을 통해 해외 사이트들을 이용하기는 하지만 연결 상태나 속도에 불만일 때가 많다.

상황이 이렇다 보니 인스타에서 책 소개 라방을 할 때 가장 힘들었던 것 역시 연결이 자꾸 끊어지는 일이었다.

---

6) VPN (Virtual Private Network)은 사용자의 장치와 웹 목적지 사이에 암호화된 터널을 만들어 사용자의 실제 IP 위치와 주소를 숨길 수 있게

라방 도중 내가 튕겨나가는 일도 있었고, 실컷 이야기를 했는데 내 목소리가 계속 뚝뚝 끊겨 알아들을 수 없었다는 피드백을 받을 때도 있었다. 그럴 때마다 힘이 빠지곤 했다. 이런 게 삶이 건네는 레몬이겠지?

한 입 베어 물면 저절로 인상을 찌푸릴 수밖에 없는 시큼한 레몬. 그래서인지 좋지 않은 것이나 형편없는 것들을 레몬이라고 부른다. (레몬이라는 말을 가장 많이 쓰는 건 불량 중고차를 샀을 때다. 레몬의 반대말은? 피치, 복숭아다.)

"When life gives you lemons, make lemonade."

레몬이 들어가는 이 격언은 워낙 유명해서 한 번쯤은 들어봤을 것이다. 삶이 레몬을 주면, 레모네이드를 만들라. 다시 말하면, 역경을 기회로 삼으라는 뜻이다.

2013년 크리스티에서 루스 아사와 작품이 140만 달러를 훌쩍 넘겨 낙찰되었다. 이런 이야기만 들으면 루스 아사와가 레몬과는 거리가 먼 그저 성공한 예술가로만 보인다. 실제로 루스 아사와를 가난한 작가가 엄청난 부

해준다. 말하자면 중국에 있으면서도 중국이 아닌 척하고 차단한 사이트에 접속하는 것이다.

를 성취했다는 식으로 바라보는 경우가 많다. 주변에서도 루스 아사와처럼 이렇게 많은 걸 타고난 사람을 보면 무기력에 빠진다고 말하는 이를 본 적 있다.

〈루스 아사와, 무엇이든 그녀의 손길이 닿으면〉은 성공한 루스 아사와의 모습뿐 아니라 성공에 이르기까지 그녀가 겪어야 했던 수많은 일들을 다양한 각도로 보여준다.

루스 아사와는 1926년 캘리포니아에서 농부의 딸로 태어났다. 루스는 일본계 미국인 2세인데, 그의 어머니는 '사진 신부'다. 1910년과 1920년 대 하와이 농장에서 일하던 일본인과 조선인 노동자들이 결혼 문제를 해결하지 못하자, 본국에서 여자를 데려와야 했다. 그때 서로 사진만 교환한 후 마음에 들면 남자가 여비를 대고, 여자가 호놀룰루에 도착하자마자 이민국에서 결혼하는 방식으로 결혼이 이뤄졌다.

2차 세계대전 중 1941년 일본이 진주만을 공격하면서 아사와 가족에게 큰 고난이 시작된다. 미국 정부가 일본계 혈연이 있는 사람들을 모두 강제 수용소에 수용하기 시작한 것이다. 루스의 아버지는 닭 한 마리 죽이지 못해 아내에게 부탁하곤 했던 사람이었는데, 일본군과 내통했다는 혐의로 FBI에 의해 체포되었다.

급하게 지어진 임시 수용소는 열악했다. 샤워기 150개를 만 8천 명이 사용했다고 한다. 당시 상하이에 있던 유대인 난민들이 수용소에서 샤워기 하나를 3,40 명이 나눠 썼다는 기록이 있다. 이를 보면 미국에 있던 일본인 수용소가 얼마나 열악했는지 알 수 있다. 아사와 가족은 마구간에 배치되었다. 그들에게 배식되는 음식은 군인들이 '널빤지에 묻은 똥'이라고 부를 정도로 심각했다.

일본은 전범 국가니 그들이 저지른 만행만 떠올렸지, 일본인의 피가 흐르고 있다는 이유만으로 그들이 수용소에 감금되고 핍박을 받았을 거라는 생각은 전혀 해보지 못했다. 루스에게 억울한 수용소 생활은 분명 엄청나게 시큼한 레몬이었겠지만, 이때의 경험이 후에 그녀의 작품에 투영된다.

쓸모가 없어진 물건을 창의적으로 재사용하는 것은 루스가 아버지의 농장에서부터 기억하는 습관이었고, 전쟁 중에는 하나의 규칙이 되었다.

무기는 물론 농기구를 만드는 데 쓰였던 철사의 가변성

을 예술 작품으로 승화시켜 냈다는 사실을 무시할 수는 없다. 철조망은 그녀의 십 대 시절을 에워쌌었다. 차츰 그녀는 철사가 단순하면서도 실용적이고, 구불구불하거나 올록볼록할 수도 있고, 빛을 반사하거나 그림자를 드리울 수도 있으며, 가만히 매달려 있거나 바람에 흔들릴 수도 있다는 것을 발견했다.

한때 자신을 가두던 철조망의 철사를 아름다운 예술 작품으로 승화시킨 것이다. 루스 아사와의 작품을 처음 보았을 때, 이런 것도 조각이 될 수 있구나, 감탄한 기억이 있다. 시큼한 레몬 덕에 루스 아사와는 조각의 새로운 패러다임을 열 수 있었다.

미술을 좋아했지만 돈을 벌어야 하는 가정 형편상 루스는 사범대학을 다녔다. 3학년 때 학위를 위해 교생 기간을 준비하던 중 일본계에게는 교사직을 배정할 수 없다는 청천벽력 같은 소식을 듣게 된다. 3년이라는 시간과 장학금, 월급을 쏟아부으며 어렵게 숙식을 해결했던 모든 노력이 한순간에 허사가 된 것이다. 이때 루스는 이왕 이렇게 될 바에야 자신이 좋아하는 미술을 해야겠다고 결심한다. 사범대학을 그만두고 블랙마운틴 대학(BMC)으로 가 본격적으로 예술을 공부하는데, BMC는 실험적이고 혁명적인 예술 학교로 당시 학위조차 인정받을 수 없는 학교였다. 큰 모험을 감행한 것이다. BMC에서 조셉 알버스에게 배우면서 루스는 작품 활동에 많은 영향을 받는다. 남편이 될 앨버트 래니어를 만난 곳도 BMC였다.

앨버트 래니어와 사랑에 빠졌지만, 이번에는 서로 다른 인종 간 결혼이라는 장벽이 기다리고 있었다. 가족들의 반대가 심했다. 나중에 묵인은 했어도 끝내 부모의 축복을 받으며 결혼식을 하지는 못했다. 그도 그럴 것이 당시에는 인종 간 결혼을 허용하는 주가 일부 주뿐, 대부분은 법적으로도 허용하지 않던 시절이었다.

"저는 가족을 갖고 싶어요. 하지만 저는 예술가도 되고 싶습니다. 이것이 가능하다고 생각하시나요?"

"몇 명의 자녀를 원하지?"

"여섯 명이에요"

(…) "야, 야, 아이들을 낳게. 그게 루스의 작품이지. 그 아이들을 반드시 '아사와다운' 아이들이게 만들어야 하네."

잠시 후 앨버트가 인사차 들렀을 때, 알버스는 쐐기를 박듯 말했다.

"결코 루스가 일을 그만두게 해서는 안 되네."

육아와 일을 병행할 수 있는가. 비단 루스 아사와의 고민만은 아닐 것이다. 언젠가 화가 한 분이 아이를 더 원했지만, 일을 계속하지 못할까 봐 하나밖에 낳지 못했다고 말하는 걸 들은 적 있다. 그런데 여섯 명이라니! 어릴 적 경험했던 대가족의 풍성함을 꿈꾸는 루스로서는 고민이 더 클 수밖에 없었을 것이다. 그럼에도 루스는 차근차근 꿈을 이뤄간다.

첫 아이가 태어나기 전에 아이를 키울 수 없는 임산부의 소식을 전해 듣는다. 자기 아이보다 6주 먼저 태어날 그 아이를 입양하기로 결심하고 자기 아이와 함께 키운다. 직접 낳은 아이와 입양한 아이를 함께 키우는 것은 지금도 여전히 드문 일이다. 50년대에는 더욱 드문 일이었다. 루스 아사와가 족히 반세기는 앞서가고 있던 셈이다.

책 속에서 루스와 작품들의 사진을 볼 수 있는데, 특히 이모젠 커닝햄이 찍은 거실 장면이 인상적이었다. 루스의 작품들이 천장에 매달려 있고, 작품 사이사이에 루스와 아이들의 모습이 보인다. 앉아서 책을 읽거나 놀고 있는 아이. 젖병을 들고 우유를 마시는 아기의 모습도 보인다. 그 속에서 루스는 작품을 만든다.

그녀가 작업을 손에서 내려놓을 때는 땅콩 잼 샌드위치를 만들어 줄 때뿐이었고, 곧 다시 조각 작업으로 돌아갔다. 어머니에게 이야기할 게 있으면, 아이코는 나무 막대에 철사를 감는 일로 어머니를 도우면서 대화를 나누었다.

집안 곳곳에 빽빽이 늘어선 조각 작품들 사이사이에서 생활하는 여섯 명의 아이들을 상상하면 저절로 미소가 지어진다. 루스는 생활과 일 사이의 벽을 허물었다. 자신이 식사를 준비하는 것만큼이나 조각 작품을 만드는 걸 아이들이 자연스럽게 보고 자라기를 바랐다. 작품 활동을 하다 그때그때 곁에 있던 아이들의 필요에 응하면서, 조각과 육아, 집안일을 하나의 융단처럼 매끄럽게 짜넣었다. 여섯 명의 아이를 키우며 좋은 작품을 끊임없이 창작할 수 있던 원동력은 결국 경계를 허물어 삶 자체를 커다란 하나의 작품으로 본 시각이 아니었을까.

그런 루스의 삶이 최초의 여성 사진작가인 이모젠 커닝햄에 의해 또 다른 작품으로 탄생한 것이다. 이모젠과 루스는 둘 다 정원을 가꾸고 잼을 만들 과일을 따는 걸 좋아했다. 취미를 공유하며 평생 우정을 이어갔다. 루스에게 남편의 성 대신 '아사와'로 사인하라고 조언한 것도 이모젠이었다. 예술이 삶이고, 삶이 예술이었던 두 사람

229

의 우정을 보며 또 하나의 이상을 꿈꾸게 되었다.

삶이 레몬을 던져주는 건 어쩌다 한 번 일어나는 단발성 사건이 아니다. 루스에게도 그랬다. 루스는 40대에 루푸스를 앓았고 후에 몇 번이나 뇌졸중으로 쓰러졌다. 일본인이라, 유색인종이라, 여성이라 자신에게 배타적이고 적대적이던 세상을 향해 상상력과 희망이라는 무기를 휘둘러 손길이 닿는 모든 것을 예술로 승화시켰다. 삶이 레몬을 건넬 때마다 레모네이드를 척척 만들어낸 것이다.

예술에는 적당히 신 레몬이 필수인 걸까, 생각하며 조이한의 〈그림, 눈물을 닦다〉를 꺼내 들었다.

저자는 심리학을 전공한 후 독일로 유학을 가 미술사와 젠더학을 공부했다. 유학 시절 지독한 외로움을 오기로 버티던 때에 에곤 실레의 작품 〈해바라기〉 앞에서 주체하지 못하고 무너져 울던 풍크툼의 순간이 있었다고 한다. 그때부터 우리의 지친 마음과 아픔, 상처, 고독 등을 위로하고 치유해 주는 그림의 힘을 믿게 되었다. 이 책은 말하자면 치유제로 다양한 그림을 권하는 책이다.

예를 들어, 외모 콤플렉스로 고생하는 사람에게는 페르난도 보테로의 〈얼굴〉을, 이룰 수 없는 사랑이나 꿈 때문에 괴로워하는 사람에게는 조지아 오키프의 〈달로 가는 사다리〉를 권한다.

책장을 넘기다 작품 하나가 눈길을 사로잡았다. 아나 멘디에타의 작품이었다. 손을 피에 담근 후 손을 들어 종이에 대고 주저앉으며 남긴 흔적이었다. 혼신을 다해 자신이 살아 있음을 증명하려는 것처럼 보였다.

보세요, 나는 살아 있어요, 나를 죽었다고 말하지 말아요. 나를 살려주세요.

1985년 9월 미국 뉴욕의 그리니치빌리지 34층 아파트 건물에서 36세의 라틴계 여성 작가가 투신해 사망하는 사건이 벌어졌다. 그녀의 남편인 미국인 조각가 칼 안드레가 용의자로 지목되어 법적 공방을 벌였다. 언론에서는 당시 사회의 페미니즘 운동과 사망한 작가의 행보를 언급하며 자극적 기사를 쏟아냈다. 칼 안드레는 무죄 판정을 받고 아나 멘디에타의 죽음은 자살로 결론 났지만, 이 사건은 오래도록 회자되었다. 겨우 결혼 8개월 만의 일이었다.

아나는 1948년 쿠바 아바나 중산층 가정에서 태어났다. 아버지가 카스트로 정부를 돕고 있었으나 은밀하게 미군에 협력했고 아나와 여동생이 반혁명적 문서를 나눠주었다는 혐의를 받아 위험에 처하게 된다. 겨우 13살에 부모도 없이 여동생과 함께 쿠바를 탈출해 미국으로 망명한다. 그 어린 나이에 가족과 헤어지고 죽음을 무릅쓴 망명을 경험한 것도 모자라, 낯선 곳에서 이방인으로 살아남아야 했다.

해변에 자신의 몸 자국을 남기고, 파인 부분에 피를 상징하는 붉은색 템페라를 채운다. 파도가 칠 때마다 몸을 채우던 핏빛 물감이 바닷물과 함께 쓸려 나간다. 마치 아픔을 조금씩 치유하듯이. 아나는 망명과 이방인으로서의 삶이 남긴 엄청난 심리적 상흔을 남은 생애 동안 되새김질하며 예술을 통해 치유하려 했다.

아나 멘디에타 역시 루스 아사와처럼 소수민족으로, 또 여성으로 평생 쉽지 않은 삶을 살았다. 그녀가 작업을 하던 시기에는 대지미술, 신체미술, 페미니즘 미술, 퍼포먼스 등 다양한 미술 운동이 있었고, 아나 역시 이런 움직임을 수용하며 다양한 매체와 신체에 관심을 가졌다.

행위 예술에 집중하면서 사막, 산악, 해변, 설원 같은 대지와 자신의 신체를 연결시킨 퍼포먼스를 주로 했고, 그걸 대지-육체 예술 (Earth - body art)이라 불렀다.

한 동안 내 손에 쥔 레몬이 너무 시다고 불평하고 있었다. 루스 아사와와 아나 멘디에타의 손에는 훨씬 시고 쓴 레몬이 잔뜩 들려 있었다. 한 입만 깨물어도 눈물이 찔끔 날 것 같은 신 레몬으로 레모네이드를 만들었던 그녀들을 보며 내 손안에 들어온 단단한 레몬을 찬찬히 들여다보기 시작했다.

어떤 상황에서도 그걸 예술로 승화시킨 훌륭한 예술가가 되지 못하더라도, 우리를 표현할 수 있는 다양한 매개를 이용해 아픔과 고통을 얼마든지 승화시킬 수 있다고 믿는다. 꼭 작품을 직접 창조하지 않더라도 다른 이들이 창작한 작품을 감상하는 데서도 치유는 일어난다. 코로나 19라는 레몬 덕분에 요즘은 직접 미술관이나 전시관에 가지 못해도 온라인으로 수많은 작품을 감상할 수 있는 길이 열렸다. 다양한 예술 작품을 감상하며 내 손에 있는 레몬으로 뭘 만들지 고민해 본다. 이왕이면 나만의 개성이 듬뿍 담긴 레모네이드를 만들어야지.

인연 덕분에 살았다

삶의 바다 한가운데서 멍들고 상처 입었을 때, 사람들의 차가운 시선에 몸과 마음이 얼어붙어 외로울 때, 숨을 곳을 찾아 이리저리 헤매다 들어선 곳. 한참 깊은숨을 몰아쉬고 나니 빠르게 뛰던 심장이 점점 자기 박자를 찾아간다. 천천히 조금 더 걸어 모퉁이를 돈다. 책들이 빼곡히 꽂혀 있는 책장들 사이에 잠시 주저앉아 숨을 고른다.

살 것 같다. 자궁 안으로 돌아와 몸을 웅크린 채 안도하는 태아처럼 그곳에서 위로를 받는다. 손끝으로 책등을 쭉 어루만지며 책장을 따라 걷는다. '찌릿'하며 손끝을 자극하는 책을 한 권 뽑아내어 펼친다. 책장 사이에 코를 박고 다시 한번 큰 숨을 들이쉰다. 수목원에서 맑은 공기를 흡입하듯 싱싱한 잉크 냄새를 들이마신다. 지끈지끈했던 두통이 사라진다.

누군가에게 배신을 당했을 때도 책에서 위로를 받았고, 모든 걸 잃었을 때도 책을 통해 내 안에 남은 무언가를 보물찾기 하듯 찾아냈다. 누군가와 사랑에 빠졌을 때도, 책 안에서 사랑의 지도를 더듬었으며, 목숨을 던지고픈 절망의 순간에도 책 속에서 희망의 날갯짓을 찾았다. 머리로 이해하는 것만 중요한 건 아니었다. 책이 주는 감촉과 무게감 역시 먼지처럼 부유하는 내 삶을 지그시 눌러주었다. 아무 페이지나 펼쳐 소리 내어 읽으면 내 귀에 나를 인도하는 목소리가 들렸다.

중국에서 인스타 라방을 진행하는 일은 결코 쉽지 않았다. 네트워크 연결이 불안정하고 소리가 뚝뚝 끊어지는 데도 늘 본방 사수해 준 인친들에게 감사의 말을 전하고 싶다. goodhands92 님, moxnox_dancewear 님, jinhui_garden 님, 감사해요. 특히 아내의 '찐팬'임을 자처하며 열심히 댓글 달아준 wandobanana 님, 감사하고 사랑합니다. (이제 비밀이 폭로되었네요.)

책과 사람, 내게 다가와준 인연 덕분에 지금까지 살았다. 소중한 인연들에게 마음 깊이 감사를 드린다.

publisher   instagram

세상에 하나뿐인 북 매칭

초판발행 2023년 7월 20일
지은이 윤소희
펴낸이 최대석 펴낸곳 행복우물 출판등록 307-2007-14호
등록일 2006년 10월 27일 주소 경기도 가평군 경반안로 115
전화 031-581-0491 팩스 031-581-0492
전자우편 book@happypress.co.kr
값 16,000   ISBN 979-11-91384-57-4

Check intagram for Event & Goods!

instagram. Yoon Sohee

산만한 그녀의 색깔 있는 독서

윤소희

새벽을 깨우는 독서와 사유의 기록;

에세이, 시, 소설 등
넓고 깊은 독서를 하고 싶은데
어디서 부터 시작해야 할까?

윤소희 작가는 수년 째 매일 새벽,
읽고 쓰는 삶을 SNS에 공유하며
독자들에게 호평을 받고 있다.
책에는 윤소희 작가가 특별히
엄선한 작품들이 블랙,
화이트, 핑크 등 '컬러'라는
테마와 함께 공개된다.

Yoon Sohee

Yoon Sohee
산만한 그녀의 색깔있는 독서

산만한 그녀의 색깔있는 독서

윤소희